# 我、国連でかく戦へり

テキサス親父日本事務局長、反日プロパガンダへのカウンター戦記

藤木俊一（テキサス親父日本事務局長）



ワニ・プラス

# はじめに

本書の執筆をはじめた2019年12月、折しも新型コロナウイルスCOVID-19のパンデミック（世界的大流行）が始まっていたのだが、その詳細を中国が隠蔽していたことが後に世界に知れ渡ることになった。あろうことか、中国の軍部からは、このウイルスは米国が中国に持ち込んだという発言まであり、米国のトランプ大統領はこのウイルスを〝China Virus〟（中国ウイルス）と呼んで応酬した。しかし、ホワイトハウスの記者会見では、米国のポリティカル・コレクトネス（過度な政治的正当性）のために、記者たちが「中国への人種差別ではないか？」という質問を相次いでぶつけたのだ。これに対してトランプ大統領は、「中国で発生したのだから中国ウイルスだ」とキッパリと返答した。さらに、これに怒った米国マスコミは、2020年11月3日に控える大統領選挙でのトランプ叩きのネタとして「トランプは人種差別主義者だ」との大合唱を始めた。もちろん、これは米国マスコミが意図してトランプ大統領に仕掛けた反トランプキャンペーンである。

同時期に、共和党のトランプ大統領の勢いを削ぎたい民主党の下院議長であるナンシー・ペロシ氏が、「トランプ大統領こそが米国の安全保障に対する脅威だ」などとトランプ大統領の弾劾を審議することを決定した。

理由は、以下の通りである。

合衆国憲法に反して、

1．外国の政府を2016年の選挙に関与させた。

2．法律を無視して傍若無人に振る舞い、憲法第二条があるから自分は何でも出来るとして、議会運営を妨害し、お互いにチェックし合う三権分立が機能しないようにした。

まさに言いたい放題である。当初、ナンシー・ペロシ氏は、この弾劾に乗り気ではなかった。では、何故？　米国にはスイング・ステーツ（バトル・グラウンド・ステーツ）と呼ばれる7〜13の州がある。アリゾナ、コロラド、フロリダ、ペンシルバニア、ウイスコンシン、ミネソタ、ミシガン、ニューハンプシャー、ネバダ、バージニアなどこれらの州は、その他の州のように共和党が強い、民主党が強いという歴然とした状況がなく、政策やその時々の政治情勢によって、どちらにも転ぶという特徴がある。そして、そのスイング・ステーツの民主党候補者からの強い要望で、これを呑むことにしたという背景があるのだ。

当然のごとく、トランプの弾劾裁判は、「無罪」の判決が出て、民主党と米国のニュースメディアが作り上げたいわゆる「ロシアゲート事件」が虚構であったことまでバレてしまった。それどころか、逆に民主党のジョー・バイデン（オバマ政権時の副大統領）の息子が、取締役を務めているウクライナの天然ガスの会社から得ている収入が迂回献金に当たるのでは、という民主党お得意のブーメランというおまけまで付いてきた。このあたりは、日本の旧民主党、立憲民主党、社民党などと相通ずるところである。

今回の中華ウイルス・武漢肺炎のパンデミックで、これまでよく見えなかったものが見えてきている。究極の選択を迫られた時に、人や組織は、従来はオブラートに包んでいた本性をあらわにすることがよくわかった。

私は、7年間国連に通い続けながら、国連や国連機関がいかに無駄で無能な機関であるか、日本にとって有害であるかを国内外に訴え続けてきた。そして、今回、国連傘下の世界保健機構（WHO）という国際機関が、その無能ぶりだけではなく有害ぶりをしっかりと世界に見せつけることになった。また、中国共産党の独裁体制がいかに人間社会、そして世界秩序に対する脅威であるかも明らかになった。中国の強い後押しでWHOの事務局長になったテドロス・アダノム・ゲブレイエスス氏（エチオピア人・元エチオピア保健大臣・外務大臣）は、12月の時点で台湾から、武漢肺炎が人から人へ感染するなどの情報を得ていながら、中国政府の「人から人へは感染しない」という情報をWHOの公式見解として発言したのだ。武漢の医師たちが、人から人

スイス・ジュネーブの国連正面玄関前。

への感染があるとネット上に公表し、声を上げていたにもかかわらず、中国政府はその医者たちを拘束し、ネット上の情報を強制的に削除させた。そして、WHOは、繰り返し、そんな中国政府の透明性を賛美していたのだ。

このテドロス氏は、1月下旬に中国の国営メディアのインタビューに対し、「中国政府の対応は尊敬すべきで世界中がお手本にするべきだ」「これは中国の社会制度が卓越している証拠だ」などと発言している。さらに、このテドロス氏だけではなく、WHOの幹部の多くが、中国の毒牙にかかり、毎日行われているWHOの記者会見で繰り返し中国を賛美し、台湾を無視するという行動をとり続けている。そこで、WHOへの最大の拠出金国である米国のトランプ大統領は、WHOへの拠出金の凍結を発表（WHO全体の約15％で

5億5310万ドル＝約595億円任意拠出を合わせると約9億ドル＝960億円）。これを受けて、武漢肺炎に感染したボリス・ジョンソン首相に対して、英国国内からも分担金の凍結を要請する声が上がっている。米国に次いで、WHOへ拠出金を出しているのがビル・ゲイツの「ビル＆メリンダ・ゲイツ基金」（9・76％）である。

参考までにWHOへの支出には、「分担金」と「任意拠出金」がある。分担金は国民の富裕度や人口、その他の様々な基準によって算出される。

日本政府は今回、この他にWHOへ任意拠出金として50億円、ユニセフへ31・8億円、国連難民高等弁務官事務所（UNHCR）へ26・3億円、国際赤十字・赤新月社連盟（IFRC）にも27・1億円の拠出を決めた。

では、WHOを乗っ取ってしまったと言っても過言ではない中国は、いったいいくら負担しているのだろうか。それがたったの0・21％、790万ドル（約8億5000万円）に過ぎない（任意拠出金はその時々で異なる）。

ここが、歯がゆいかな日本政府のリーダーシップのなさなのか、国際感覚のなさなのか。WHOを更正させるチャンスをミスミス自ら潰しているのだ。さらに、日本政府は、WHOを中心に世界各国が一丸となってこのウイルスの脅威と戦うべきだなどと寝言を言っている。筆者は、安倍首相もトランプ大統領同様に条件付きで分担金や任意拠出金を凍結すべきだと考える。そこに英国のジョンソン首相を巻き込めば、ビルゲイツ財団がいくらＷＨＯへの大口の支援者といえども、その全てをまかなうことは不可能であろう。

日本は、２０１６年（岸田外相当時）にユネスコに対する支払いを凍結し、中国による南京問題、慰安婦問題の「世界の記憶」への登録を阻止するための交渉に挑んだ経緯がある。そのおかげで、ユネスコ内部の問題分子を排除し、改革することに成功したという前例があるにもかかわらずだ。

日本・米国・英国が足並みをそろえれば、ＷＨＯは改革せざるを得ない。これは、またとないチャンスであり、今後、再び未知のウイルスが発生した時に、人類を救うための行動でもある。

その間、日本・米国・英国は、協力してワクチンの開発を行えば良いだけだ。すでにトランプ大統領は、米国内の最大の感染地域であるニューヨークへ、アンドリュー・クオーモ知事の要請よりも多い人工呼吸器を届けている。また、メキシコなどの周辺国に対しても、人工呼吸器を供給すると断言している。これぞ、一国のリーダーである。自虐史観を植え込まれ、優等生として育ってきた政治家や官僚たちは、自分たちの収入は減らないためにまともに考えない。しかし、トランプ大統領は、その卓越したビジネスセンスで、この国難を乗り切ろうとしており、その成果はすでにあちこちに現れてきているのである。このように素晴らしいお手本である米国が同盟国なのだから、日本政府は、同盟国らしい対応をするべきではないかと筆者は考えている。

国内に目を向けると、自民党内部の幹部の意思疎通が十分にはなされておらず、めいめい好き勝手なこと言っているだけではなく、連立与党である公明党、何かにつけて与党に異議を唱え、その主張の中身が希薄な立憲民主党に共産党などが、速やかに行うべき国民に対する保護を遅延させていることも明らかになった。

そして、一番の問題は、現在の日本政府では、日本国民の生命、財産を緊急時には守れないことが明らかになったということだ。この日本には「緊急事態条項」も「スパイ防止法」もない。要するに日本政府は、緊急事態に速やかに国民を守ることすらできないということが明確になったのだ。この中華ウイルスの世界的パンデミックの中で速やかな対応ができずに右往左往している日本の政治を見て、トランプ大統領率いる米国の緊急事態に対する対応の素晴らしさを比較すると、日本の政治、政治家たちがまだまだ、小学生レベルであることがよくわかる。

筆者の生まれた1964年は、大東亜戦争が終わり、日本が焼け野原になった19年後である。アジア初の東京オリンピックが開催され、柔道がオリンピック種目になった年であり、新幹線、東京モノレールの運転が開始された年でもある。さらに日本がＯＥＣＤ（経済協力開発機構）に加盟した年でもある。その他、国内では、かっぱえびせん、電卓、ソニーの業界初の家庭用テープレコーダーなどの発売が開始され、太平洋横断海底ケーブルが日本と米国の間で開通し、ホテルニューオータニ、東京プリンスホテルなどが相次いで開業し、日本武道館も完成したりと、高度経済成長期の強く輝かしい日本の幕開けの時期であった。

筆者がものごころがついた頃に住んでいた福岡県久留米市は、大東亜戦争中に空襲で焼け野原になったにもかかわらず、すでに戦争の痕跡など全くなかった。焼け野原からたったの19年で、世界最新のインフラが完備されたわけだ。

家族を戦争で失い、家を失い、焼け野原の絶望のどん底から、たった19年で不死鳥の如くここまでのことを成し遂げた先人たちの我が国日本への貢献と努力を思うと、その恩恵をたっぷり受けてきた我々の世代こそが、日本の行く手に立ちふさがる様々な障害を取り除き、後世に繋がなければならないと考える。筆者と同じ年齢の政治家の中には、三原じゅん子氏（自民党参議院議員）、中田宏氏（元横浜市長・元衆議院議員）などの愛国者も数多くいるが、野田聖子氏（自民党参議院議員）、常に迷走する枝野幸男氏（立憲民主党）などもいる。我々の世代が次世代に日本を繋ぐ時に、今のままではとてもではないが胸をはって手渡せる状況ではないと断言できる。

本書では、日本のマスコミが報じない国際社会で起きていることやマスコミが隠したい日本の貢献などに関して、著者の実際の経験を元に読者の皆様にお伝えできればと考えている。

はじめに　2

第一章　国連は「左翼の巣窟」だ！　17

国連を信仰の対象とあがめる日本　18
「性奴隷」はいかにして生まれたか　21
左翼が犯す「国連詐欺」　30
林陽子委員長とは何者なのか　33
ロビー活動で国連の委員を騙す　38
被害者面して国を貶める　42
敵は日本の反日左翼だけではない　48
外務省は腐りかけたミカンの入った「ミカン箱」　52
国連は「中国植民地」　58
中国が意のままに操り始めた　62
筆者もターゲットになっている　66
脱退よりも大改革を　69

第二章　日本を救え――私の戦い　73
日本人の信用を守れ　74
テキサス親父との出会い　77
韓国の虚構を覆す　81
世界を蝕むポリティカル・コレクトネス　85
リベラルのアメリカ破壊　87
日本に流入する害毒を防げ　91
権利の拡大だけが目的　94
国連で勝てる英語力を　96
同志よ、集まれ　103

第三章　「強請たかり」の国、韓国　109
学者としての矜持を示す李宇衍氏　110
韓国最高裁の不当判決　114
問題の本質は韓国にある　129

慰安婦問題にたかるマフィア 131
何故、韓国は飛び抜けて自殺率が高いのか 135
バッカスお婆さん 139

第四章 「民族根絶」こそが中国の夢 143

新疆ウイグル自治区は「収容所」と化した 144
チベット方式が転用された 149
侵略の「実験場」となった南モンゴル 154
弾圧はバローチスタンにも「輸出」 156
海外に及ぶ中国の妨害行為 161
世界を欺く宣伝活動 163
「一帯一路」に潜む戦略 168
何故、日本は本質を見抜けないのか 172
横行する臓器ビジネス 176

第五章 詐欺映画『主戦場』の真実 183

監督「出崎幹根」の正体とは　184
レッテル貼りのプロパガンダ映画　187
巧妙に近づいてきた　193
「不正の嫌疑あり」　198
研究倫理違反は明らかだ　202
首謀者は中野晃一氏に他ならない　205
「表現の自由」とすり替えたNHK　210
左翼は嘘をでっちあげる　215
現在の慰安婦問題の状況　226

## 第六章 国家破壊を狙う「子ども連れ去り」問題の深奥

第六章　国家破壊を狙う「子ども連れ去り」問題の深奥　233
突然、妻子が姿を消した　234
連れ去りに絡む弁護士　237
水に落ちた犬は棒で叩け　242
裁判官も例外ではない　244

一度も子どもの声を聞いていない　247
防止策の策定を急げ　250
「共同親権」で連れ去りはなくなるか　252
国連を利用して法改正を　255
あなたも被害者になる　262
これが左翼の描く国家破壊の構図だ　267
〝アリの一穴〟が開けられたら手遅れに　269

シュン大佐、初の単著発刊に寄せて　272

おわりに　294

# 第一章
# 国連は「左翼の巣窟」だ！

## 国連を信仰の対象とあがめる日本

皆さんは国連と聞いてどのような組織だと想像されるだろうか。

私たちは、学校の授業や教科書で、国際連合（United Nations）とは「第二次世界大戦後の世界秩序と平和のためにできた素晴らしい機関である」と教えられている。一部の教科書では、国連平和維持活動（ＰＫＯ）や、国際連盟との比較などで取り上げられているが、国連がどのような機関であるかという核心は、ほとんど教えられていないのが現状だ。

教えないのが良いのか、教えた方が良いのかについては、議論があるはずだ。ただ、国連を悪用している国や勢力のカウンターになるためには、その実像を包み隠さず教えることが必要ではないかと考えている。何故なら敵を倒すには、まず敵を知ることが重要だからだ。しかし、ここで忘れてはならないことは、１つ間違えると敵に洗脳されてしまう危険性も孕んでいるということだ。いついかなる時も慎重さと冷静な判断が必要だ。

日本の外交は「国連中心主義」である。国連を「平和の殿堂」としてあがめ、日本国憲法と同様に〝信仰〟の対象であるかのように扱い、関与してきている。しかし、果たして国連は日本人全般に認識されているように、立派な、世界平和と世界秩序のための「夢のような組織」なのだろうか。

筆者は2014年から現在までの6年間、全ての国連の人権理事会や各種条約体委員会に通い続け、そこで繰り広げられる様々な議論をウォッチしてきた。そこで繰り広げられるのは、国益を追求する国家間の激しいぶつかり合いである。その結果、導き出されるのは必ずしも「正しく客観的な真実」ではないことを思い知らされた。

そもそも、世界の中で国連を〝信仰の対象〟としているのは、我が国と、前国連事務総長を輩出し「世界大統領が韓国から誕生した！」と手放しで大喜びしていた韓国くらいのものではないだろうか。むしろ、日本の国益を毀損し、尊厳を傷つけている組織こそが国連なのだ。米国のトランプ大統領が国連をひどく毛嫌いしているのも、筆者の国連での経験から深く頷ける。率直に言えば、国連がこれまで日本の役に立ったことなどないと言ってよいだろう。しかし、現在も、日本政府や与野党の政治家たちは、筆者が常々日本の国益に反すると考えている国連のSDGs（エス・ディー・ジーズ）「Sustainable Development Goals（持続可能な開発目標）」のバッヂを胸や襟に付けて、いかに自分たちが国連のこのSDGsに理解を示し、協力的なのかということを見せるためのパフォーマンスを行っている。呆れたものだ。中身を精査すれば、グローバリズムの害悪を日本に植え付ける国体破壊の前準備だということがわかるはずだ。

国連憲章第53条、第107条においては、国名こそ名指ししていないが、現在も第二次世界大戦の敗戦国は「敵国」であるとされており、国連の決議なく攻撃をして良いことになっている（＝旧敵国条項）。

日本はドイツとともに、1995年の国連総会において、旧敵国条項を憲章から削除する決議案を提出し、賛成多数によって採択された（賛成155カ国、棄権は北朝鮮、キューバ、リビア）。削除を望む国が現行の国連憲章を改正する決議案を総会に提出し、国連加盟国の3分の2以上の支持を得て採択、批准されて初めて削除が実現するということになる。

現実的には、様々な国連内の決議などで、この「旧敵国条項」が死文化しているのは事実だが、いまだに批准国が必要な数には達しておらず、国連憲章を変えるまでに至っていない。削除される見込みはないであろうと筆者は考えている。何故なら、旧敵国条項が残っていたほうが都合のよい国があるからだ。

国連の最高意思決定機関は安全保障理事会であり、拒否権を有するのが、常任理事国である。その常任理事国、アメリカ、イギリス、フランス、ロシア、中国の5大国によって牛耳られていることと自体がおかしな話である。ロシアはクリミアを武力併合し、日本の北方領土を奪い取ったままで返還する意思は全くない。中国は、東トルキスタン、チベット、南モンゴル、その他の少数民族を次々に武力制圧し、南シナ海に武力進出をし、さらに日本の尖閣列島を奪おうとしている。これらの国が牛耳る国連に何を期待できるというのであろうか。

しかも、国連は、一部のＮＧＯなどの報告を裏取りもせずに鵜呑みにし、慰安婦を「性奴隷」と位置付けて捏造し、それが世界に拡散される原因を作った重罪組織だ。その根源となったのが、反日左翼の長年にわたるロビー活動である。そして、それを支えてきたのが日本政府、つまり外務省なのだ。筆者は彼らがでっち上げてきた嘘を潰し、さらなるデッチ上げをその現場で阻止するために、国連で継続的に活動を行っているのである。ここでは筆者の国連での活動について、実際の経験を基に綴っていこうと思う。

## 「性奴隷」はいかにして生まれたか

２０１４年、初めて筆者が国連に行ったきっかけは、米国海兵隊岩国基地内あるメリーランド大学分校の教員であるエドワーズ博美さんらが、以前に一度だけ国連に行った時の話をしてくれたことだった。あまりにひどい反日活動が行われ、日本を貶めるための嘘がはびこっているということを聞き、国連の人権関連委員会の中の１つである「自由権規約委員会」の対日審査で、何が起きているかを調べるために、慰安婦問題に取り組んできた保守系の団体や、筆者も所属している「慰安婦の真実国民運動」の調査団として行くことになった。

ほとんどの人権関連の会合は、スイスのジュネーブで行われている。ジュネーブは、ニュースなどでよく耳にする世界保健機関（ＷＨＯ）、国際労働機関（ＩＬＯ）、世界貿易機関（ＷＴＯ）、国際貿易センター（ＩＴＣ）など多くの国際機関が存在している場所である。

国連内での公用語は英語、フランス語、スペイン語、中国語、ロシア語、そしてアラビア語のみである。我々が参加する人権理事会の会場には、各座席にマイクとイヤホンが設置されている。発言者の言語を、その言語以外の5カ国語に同時通訳されたものを、各席のスイッチで言語を選択し聞くことができるようになっている。しかし当然ながら、「敵対国」の言語である日本語はそこにはない。

人権理事会は、加盟国内で47カ国が選挙によって選ばれ、理事国になる。理事国の任期は3年で、連続して2回（6年）まで務めることができる。

定期会合は年に3回、2月から3月、6月から7月、9月から10月にジュネーブで開かれるが、開催の年により数週間前後する。2月から3月にかけての、その年の最初のセッションでは、第1週目に「ハイレベル・セグメント」と呼ばれる週があり、加盟各国の代表者が自国の人権状況の報告や、今後、人権問題を自国でどのように扱っていくか、また、第3国の人権状況に関する問題提起などが行われる。

この国連人権理事会は、唯一、筆者のような一般人であっても、ハードルは高いが、国連経済社会理事会（ＥＣＯＳＯＣ）の「協議資格」を取得すれば参加が可能になる。自国に限らず、他国の代表団や首脳に対して、直接、反論や話ができる唯一の場所と言えるので、非常に貴重である。

さらに人権理事会の下には、女子差別撤廃委員会や自由権規約委員会、子どもの権利委員会など、条約体委員会と言われる10の委員会が存在しており、日本はそのうち８つに署名している。委員会はいわば国連加盟国のクラブ活動のようなもので、そこに署名した国が補助金を出して委員会を運営する仕組みである。そして署名した国は、４年に１回、個別の状況について審査を受けることになる。

では、この場で何が行われていたのかである。

筆者らの調査目的は、２００８年に行われた国連自由権規約委員会で、日本に対する慰安婦問題に関しての非難決議の採択が、どのような手続きでなされたかを調べることであった。ちなみに自由権規約委員会では、日本弁護士連合会（日弁連）など30以上のＮＧＯの登録団体が、日本国内の人権に関する議題を提出しており、２００８年に開かれた委員会では、「加害者を訴追せ

「日本軍に強制された性奴隷と呼ぶべきだ」と語気を強めたマジョディナ委員に抗議する筆者たち。

よ」「慰安婦問題を歴史教科書に記述せよ」「公的資金で賠償せよ」「謝罪せよ」――などという非難決議が出されたのである。

実際にこの委員会の会合に行ってみると、背中に大きく英文で「朝鮮学校　平等な教育を受ける権利」とプリントされたポロシャツを着た４人組やチマチョゴリ姿の４人組、その支援団体と思われるメンバーらが、委員たちにＤＶＤやチラシを配り、朝鮮人差別を訴えるロビー活動をしている姿があちこちで見受けられた。出席したＮＧＯを見ると、日弁連、在日本朝鮮人人権協会、反差別国際運動（部落解放同盟）、「アクティヴ・ミュージアム　女性たちの戦争と平和資料館」（ｗａｍ＝詳細は別掲）など、錚々《そうそう》たる左翼系リベラル団体が並んでいる。

委員会では、慰安婦問題に関して、日本政府に対する国連勧告の履行状況についての話し合いが行われ、日本が履行していないことへの批判が相次いだ。

特に南アフリカ共和国出身の黒人女性、ゾンケ・ザネール・マジョディィナ委員が非常に強い口調で「慰安婦と呼ぶのはやめて、『日本軍に強制された性奴隷』と呼ぶべきだ」などと、左翼が捏造した情報だけを基に日本を痛烈に批判していた。

これに対して日本政府代表団からは「慰安婦を性奴隷と呼ぶのはふさわしくない」との反論が出され、議場からは拍手が起きたが、議長は「被害者の女性に関する配慮がない」とコメントを出した。また、会場へ拍手をしないようにとの注意があった。

ちなみに、議案提出から決議に至るまでは、次のような流れである。

①人権侵害などに関する通報（人権侵害を受けた個人かその代理人が通報することができる）
②国連の協議資格を有するNGOが許容性審査をする（すでにその人権に関する侵害に関し、裁判所で審議を尽くしていること）
③NGOによって国連に議案として提出される
④18名の委員による本案審査
⑤被審査団や団体による答弁
⑥国連の見解（条約違反があった場合には是正措置の勧告）

⑦通報者・関係国・一般に対して見解を送付、公表
⑧フォローアップ（是正措置がとられているかどうかのチェック）

つまり左翼が自分たちの主張に基づく議案を出して、それを日本のことをさほど詳しく知らない委員が、提出されたものを一切の証拠調べもないまま受理し、日本政府へ勧告を出しているというのが実態だ。

筆者らは、これに議論で対抗するために会合に出席しようとしたが、福島瑞穂参院議員の〝事実上の夫〟である海渡雄一弁護士から、「なんだ、お前らは」というような顔で睨まれ、会場から締め出されてしまった。

こんな国連を巧みに利用したのが、左翼の戸塚悦朗弁護士である。

筆者が、一緒に国連に来ていた「論破プロジェクト」の藤井実彦氏と、国連内のカフェテリアに向かっていると、たまたま国連内にいた戸塚氏のご子息と戸塚氏に同行している宗教関係者を発見した。宗教関係者とわかったのは、法被《はっぴ》の背中に大きくその宗教団体名が入っていたためである。筆者と藤井氏は、戸塚氏のご子息と戸塚氏の同行者と立ち話をした。

私はその宗教関係者である戸塚氏の同行者に対して、「あなたは宗教家ですよね。そうであれ

ば、一方的な意見のみを聞くことはしないと思うので、話をしたいのだが」と切り出した。彼とは、数日前から国連内会議場やその他の場所で、挨拶をする程度の面識しかなかったが、思い切って話しかけてみたのだ。彼は、やはり宗教家だけあり非常に温和で、戸塚氏の鞄持ちとして20年間、国連に通っていると筆者らに説明してくれた。また、戸塚氏のご子息にも、「父である戸塚氏の活動に関してどう思うか？」と質問してみた。そうすると、彼は、「僕はまだ勉強中なので、自分の意見を持っていない」と答えた。米国の学校に通っているという彼も、非常に温和で、なかなかしっかりとした好青年であった。

国連の会合に参加していた戸塚悦朗氏（中）。

4人で立ち話をしているところに、戸塚悦朗氏が怪訝な顔をして「あなた方は誰だ？」と近づいて来た。そこで、慰安婦問題では、戸塚氏とは真逆のスタンスのNGOであることを述べた上で、ダメ元で話を聞きたいと申し出た。

さらに、戸塚氏に、ご子息との立ち話の中で、ご子息が非常にハッキリとした考えを持っていると告げた。戸塚氏は、まんざらでもなさそうな優しい親の顔を覗かせた。そこから、早速会話を始めたのだが、保守側の人々の間ではすこぶる悪名高い戸塚氏は、なかなかの曲者《くせもの》であることを、話し始めてまもなく理解することが出来た。また、その温和な語り口は、「人たらし」であるとも言える。筆者が以前から抱いていた悪役戸塚悦郎《とつかえつろう》のイメージとは、似ても似つかないキャラクターであったのが印象的だった。

雑談の後に戸塚氏に早速、慰安婦問題に関して斬り込んでみた。

藤木「戸塚先生、何故、慰安婦を性奴隷と言い換えたのですか」

戸塚氏「私の勘だよ！　勘！」

藤木「えっ？　勘だけですか？」

戸塚氏「そうだよ。すごいだろ！　私は34年間国連に通い続け、20以上の日本が犯した人権侵害の問題を議案として提出し、ここで発言してきたんだが、どれ１つ取り上げられなかった。しかし、１９９２年に私が慰安婦を「性奴隷」と言い換えたことで、国連の委員たちが私の言うことに注目するようになったんだ。だからすごいんだよ」

こう鼻高々に語った。さらに、何度も「日本は病気で、国連はその病気を治療する医者のようなものだ」と言っていた。会話の詳細については、自由社から発行されている『国連が世界に広めた「慰安婦=性奴隷」の嘘―ジュネーブ国連派遣団報告』に筆者らの会話の文字起こしが収録されているので、是非、ご一読願いたい。

ちなみに1992年は、1月11日付朝日新聞が「慰安所　軍関与示す資料」として1面トップで、「慰安所への軍の関与」の史料を中央大学の吉見義明教授が発掘したと報じ、直後に訪韓（1月16、17日）した当時の宮澤喜一首相が盧泰愚《ノテウ》大統領との会談で公式に謝罪した年である。もちろん文書の中身は「誘拐まがいのことが起こらないように、日本軍に通知した」という正反対の内容だったのだが、こうした流れによって慰安婦問題が日韓の外交問題に発展してしまったのだ。

さらに、韓国挺身隊問題対策協議会（挺隊協）がニューヨークの国連本部とジュネーブの人権委員会に代表を派遣し、問題を国際化させるきっかけになった（※挺対協は、2017年7月に日本軍性奴隷制問題解決のための正義記憶連帯、略称：正義連と改称している）。

日弁連は1995年11月16日付けの「従軍慰安婦問題への政府の対応に関する声明」の中で、次のように述べている。

「日本政府関係者は、性的奴隷制という国連用語が、『従軍慰安婦』を含むことを否定し続け、この行動綱領を無視し、慰安婦被害者個人に対する国家補償を拒否し続けている」

「これまでの国連における審議経過をふまえると、性的奴隷制という用語が、『従軍慰安婦』制度を示す用語であることは明らかである」

「女性に対する暴力に関する国連事務総長の報告書（略）を見れば、国連用語としての性的奴隷制が、『いわゆる慰安婦として第二次大戦中に日本陸軍によって組織的に誘拐され、結局売春を強制された』問題をさすことが容易に理解できよう」

そして、日本政府は歪曲をやめて「『従軍慰安婦』被害者に対する国家による補償を可能とする立法の提案を早急に検討すべきである」と結論づけた。

こうして戸塚弁護士が作り上げた「慰安婦＝性奴隷」という嘘が、国連から世界へ発信されたのだ。

## 左翼が犯す「国連詐欺」

筆者は以来、国連に通い続けて、日本の左翼NGOが約40年にもわたって、嘘やでっち上げで国連の中に火種を作り、日本叩きを行い、国際的な信用を貶めるための活動をしてきていたこと、その結果として、国連から日本政府へ様々な勧告が出されてきたことを知ることになった。

単なる「戦時売春婦」だったことが当時の各国の公文書や証拠、その後の研究からも明らかである慰安婦も、日本の左翼活動家や日弁連などのNGOの激しいロビー活動、国連への虚偽報告の結果、「性奴隷」と言い換えられてしまうことになり、それが現在まで影響し、日韓関係やその他の国まで巻き込んだ国際的な問題に発展してしまったのだ。

今、慰安婦問題で日本を糾弾している委員会は全部で7つにのぼっている。女子差別撤廃委員会、社会権規約委員会、自由権規約委員会、拷問の禁止に関する委員会、人種差別撤廃委員会、人権理事会、女性の地位委員会である。

最近では、左翼が強制失踪委員会において、元慰安婦の子どもが日本軍に連れ去られたといった、とんでもないことをでっち上げ始めている。韓国や中国はこれを見て、日本を貶める絶好のチャンスだと考えているのだ。

左翼が国連でロビー活動を展開していた早い段階から、日本の保守側の誰かが国連にいて、この「慰安婦＝性奴隷」という嘘を覆《くつがえ》せていたならば、現在のこの状況は生まれていなかっただろう。そのためにも、国連に通い続けて、左翼のでっち上げやデマをその場で覆す活動を続ける必要があると考えている。

一言付け加えておかなければならない。これらの委員会で出される報告書自体には、法的強制性も順守義務もないのである。単なる「提言」なのだ。よく新聞やテレビなどが「国連から○○○○という勧告が出されました」などと、いかにも裁判所の判決などと同様の効力があるかの如く報道しているのを、読者の皆さんも一度や二度は見かけたことがあると思う。

反日左翼メディアはこれを大袈裟に報じ、これを受けて左翼団体は「世界の皆さん、日本ではこんなにひどい人権被害がありました」「その証拠に新聞もこう書いています、これが証拠です」というかたちで利用していたのだ。朝日新聞が、この左翼たちの格好の「証拠」とされ続けてきたのは言うまでもない。

慰安婦問題では、それらの左翼メディアと左翼団体とが結託して、国連人権理事会を舞台として、悪の限りを尽くしてきたというわけである。要するに日本叩きをしたい反日左翼たちはメディアと国連をうまい具合に利用して、自分たちの目的を達成しようとしているわけで、これは、完全な「国連詐欺」「国連マッチポンプ」であると言える。

参考までにこの国連の「勧告」は、実際にはどのような単語の翻訳なのかだが、国連の公式文書にはRecommendationと書かれている。この単語に「勧告」という意味がないわけではない。しかし、実際にはレストラン等での「シェフのおすすめ」「推奨」程度の意味なのである。

国連に人権侵害等の報告を持ち込むためには、基本的には、国内の裁判所で審理を尽くしたが、人権侵害が改善されない場合という条件が必要だ。

さらに、国内のニュース、新聞、雑誌等の客観的な証拠があれば、なお良いとされている。そこで、フェイクニュースメディアである朝日新聞や、しんぶん赤旗などが証拠として利用されている。慰安婦問題においては、あの慰安婦問題に関する詐欺師吉田清治の『私の戦争犯罪』というとんでもない本を朝日新聞が取り上げ、それが、国連や国際社会で、日本軍が女性を、暴力を用いて攫《さら》って慰安婦になることを強制したという証拠とされたのだ。

日本を貶めるための火種を作るのは、いつも、日本人なのだ。そして、それを日本叩きしたい特定国家が、しめしめと利用しているという構図が出来上がっている。

## 林陽子委員長とは何者なのか

1993年に、慰安婦問題に関する「河野談話」が出されると、その翌年から、国連の女子差別撤廃委員会でたびたび慰安婦問題が取り上げられてきた。

また、2016年12月には、国連女子差別撤廃委員会が日本に関してまとめた「最終見解案」に、皇位継承権の男系男子限定は女性差別だとする皇室典範の改正勧告が盛り込まれた。

当時、その委員会の委員長を務めていたのが、林陽子というアテナ法律事務所所属の日本人弁護士であった（2015年～2017年）。内閣府男女共同参画会議「女性に対する暴力専門調査委員会」委員なども務めている。

女子差別撤廃委員会の会合での林陽子委員長（中）。

委員長は、委員の中から選挙で選出される。この林氏を外務省に推薦したのは日弁連であろう。これを受けて外務省が彼女を女子差別撤廃委員会の委員に推薦したという経緯がある。

ちなみに、国連の各委員会では、国連と「個人」とが契約する。この国連の各委員会の委員になる「個人」はどのような人なのかと言えば、そのほとんどが弁護士か学者である。日本の場合は、委員候補の「個人」を外務省が国連の各委員会に推薦している。外務省に誰がその「個人」を推薦しているかというと、だいたいが日弁連や、共産党フェミニスト系のNGOである。

では、林陽子という弁護士はどのような人物なのだろうか。

2008年に女子差別撤廃委員会の委員に就任し、

2015年、委員長に選出されている。社会民主党所属の参議院議員であり、社会主義インターナショナル副議長である福島瑞穂氏や元朝日新聞記者の故松井やより氏らと交流があり、2000年に内閣府男女共同参画会議「女性に対する暴力に関する専門委員会」の委員に任命されるなど、「日本のフェミニズム界の重鎮的存在」とされている人物だ。スリランカの活動家、クマラスワミ氏とも慰安婦問題などで協力関係にあるとされている。1996年に人権委員会（現人権理事会）に提出した「女性に対する暴力とその原因及び結果に関する報告書」（通称・クマラスワミ報告書）はまさしく慰安婦に関する捏造の報告書である。「慰安婦は性奴隷で、日本軍によって拷問を受け、四肢切断されたり、多くの釘が刺さった板の上を転がされたり、1日に50人から70人の日本兵の性処理を強制された」などという事実無根の、日本の反日左翼や北朝鮮・韓国の活動家たちの主張を鵜呑みにしたものである。

そうして、前述したように2016年、女子差別撤廃委員会の最終見解案に、突如として、「皇室典範の改正」が盛り込まれる〝事件〟が起きた。

見解案では「委員会は既存の差別的な規定に関するこれまでの勧告に対応がなされていないことを遺憾に思う」と前置きし、皇室典範にある「男系男子のみに皇位継承権が継承される」との規定に対し、懸念を示す内容であった。そして「(母方の系統に天皇を持つ女系の女子にも）皇位継承が可能となるように皇室典範を改正すべきだ」との勧告を盛り込んでいた。「皇室典範は女性差別である」というわけだ。

果たしてそうだろうか？　男子差別とも言えるのではないのか？　我々一般人男性は、死ぬまで皇族になることはないが、一般人女性は、皇族の男性と結婚すれば、皇籍に入れる。このことは、彼らの見方からしたら、差別にはならないのか？　いわゆる、人権派といわれるこれらの弁護士、活動家たちの言う「差別」とは、常に一方的意見であることが明確にわかる。

筆者は、この時の国連の女子差別撤廃委員会のセッションで行われてきた会合の全てに参加し、話し合いの内容を記録していたのだが、皇室典範の話など、一言も出てはこなかった。ところが最後の最後に、「最終見解案」に紛れ込んでいたのだ。

日本政府の強い抗議で、記述は最終見解書から削除されたが、この時の同委員会の委員長が林陽子氏だったのだ。それを最終見解案にこっそりと入れたのはいったい誰なのかといえば、私には日本人である林氏としか考えられない。この時の副委員長、中国のゾウ委員も関わっていたのだろう。林氏を委員長にするという時に、西側の諸国から横やりが入ったのだが、この中国のゾウ委員が中心となり、林氏を委員長にするためのとりまとめを行ったという経緯がある。たとえ実際はそうでなくても、委員長としての立場から林氏は皇室典範の改正が最終見解案に入ったこ

左から、北郷室長、片山参議院議員、藤岡氏、筆者。

林氏と外務省の北郷室長が登壇者として名前を連ねるセミナーのチラシ（表面）。

とを知っていたはずである。

筆者は片山さつき参院議員に調査を依頼する一方、短期間ではあったが、署名活動を行い、1万1532筆の署名を集め、林氏の罷免と国会での証人喚問を求める書簡を、当時の岸田文雄外務大臣に提出した。片山議員、藤岡信勝氏（新しい歴史教科書をつくる会副会長）と筆者は、外務省の担当者と面談をし、外務省が国連の各条約体委員会の委員を推薦する基準は何であるのかの詳細を出すように求めた。しかし、外務省は何故、どのようにして林氏を委員に推薦したのかの理由は曖昧にして、「推薦した当時の担当者はもうおりませんので、詳細が分かりません。また外務省に推薦権はあっても罷免権はありません」という木で鼻をくったような回答があったのみだ。

その後も、外務省と数回の会合をもち、罷免ができないのであれば、推薦の基準を明らかにし、偏った人選にならないようにとの申し入れを行った。この時の片山議員の「女子差別撤廃委員会の委員は国会の同意人事ではないが、極めて重要なポストだ。国連を、透明性・客観性が担保された完全無欠の機関であると妄信すること自体が間違い。(解任が難しくても)次に同じような人物が選ばれないようにしなくてはならない」という発言が印象的であった。

外務省側の当時の担当者は、北郷恭子氏(総合外交政策局女性参画推進室長)であった。この北郷室長であるが、林氏とは、一緒に講演など行う仲であることを見れば、同様の思考をする人物であり、推薦等に関する説明が詭弁である可能性は大である。要するに、外務省、そして、北郷氏と密接な関係にあるのだろう。その他の委員会に推薦されている日本人の委員たちも、この状況を見れば、言わずと知れている。官邸と皇室に一番近い外務省が、いかに無責任であり、責任を取らなくてよい組織であるかがうかがえる。各省庁の中でも、ある意味、最も影響力はあるのが外務省であるが、その一方で責任を取らなくて済む組織形態なのである。

## ロビー活動で国連の委員を騙す

筆者は「国連マッチポンプ」と呼んでいるのだが、左翼は盛んに、日本はあんな悪いことをやっている、こんな人権侵害をやっていると、ありもしないことを40年にわたり国連に吹き込んできた。そしてそれを受理する側もまた、前出の林陽子氏のような各国から来ている左翼（リベラル）の人間なのだ。

委員会で委員たちを騙すのは簡単である。委員の中には日本に関心がない人も多くいる。その人たちにロビー活動をして、たまには日本に呼んで、飲み食いさせたり、金銭を渡すことによって、一方的な情報を信じ込ませるのだ。そして、その情報のみを基に、日本への意味不明な勧告の数々を出してきたのだ。勧告がいくつかの委員会から出されると、「ほら、あそこの委員会もここの委員会も日本への勧告を出しているじゃないか。理事会はどうにかせよ」という展開になるのだ。そして、これには、日本の左翼マスコミ、フェイク・ニュースも大きな役割を果たしている。

ロビー活動は、たとえ内容がデタラメであっても、積極的にやったほうが勝ちなのだ。

たとえば部落解放同盟（国連では反差別国際運動＝ＩＭＡＤＲ＝The International Movement Against All Forms of Discrimination and Rasismという名前で活動）は、ジュネーブという世界でも最も物価の高い都市に拠点を持っている。そして、そこに人が常駐し、日々、国連に対してロビー活動を行い、様々な歪曲した事実や嘘を吹き込んでいるのである。

ここに常駐できるということは、毎月、多額の資金が入って来なければ不可能なはずである。彼らは長年、そこで活動しているので、国の補助金などを、どのように還流させるかを熟知しているようだ。筆者はその資金が日本政府から出ていると考えている。当然、部落利権など、様々な人権利得者からの寄付などもあるだろう。

筆者が国連で活動するなかで、仲良くなったNGOの代表らに聞くと、彼らは「日本のNGOはよく知っている」と言う。彼らは「日弁連」と「部落解放同盟」が日本を代表するNGOだと思っているのだ。それもそのはずである。筆者らの6年間の活動に比べれば、彼らの40年の活動のほうが遙かに長く、それだけの経験もあるためだ。

これらのNGOが日本の代表のような顔をして、潤沢な活動資金を使っていることを、あるNGOの代表が証言してくれた。

国連とはこうした左翼NGOによる反日活動が行われている場所なのだ。日弁連は、様々な会議の冒頭で、必ずこう発言する。「私たちは日本の弁護士全員が加盟している日弁連の代表としてここで話をします」。日弁連をどうにかしなければ、この国の国体破壊は止まらないであろう。

しかし、日弁連NGOは法律を盾に、敵対するNGOに圧力をかける可能性があり、それが面倒くさいために、誰も触れたがらないのだ。外務省にいたっては、迎合している。保守系の弁護士が、国連を舞台にした左翼系弁護士のこのような活動すら知らないのには驚くばかりだ。

前述の通り、国連の各委員会は、委員になる「個人」と契約をする。その「個人」はほとんどが左翼の弁護士か学者である。彼らが国連に申請、あるいは外務省が彼らを推薦して、各委員会の委員になるのだが、本来の人権とはかけ離れた、お金の臭いのする人権にのみ敏感な連中ばかりである。

一例を挙げてみよう。現在、国連児童の権利委員会の委員である大谷美紀子氏も、弁護士であるが、同時に、筆者が深く関わっている「子どもの連れ去り問題」においては、人権侵害の加害者であることが、フランスの当事者から国連に告発されている。

その告発状の内容を読むと、虚偽の「家庭内暴力」（ＤＶ）を利用して夫を警察に拘留させ、離婚届けにサインさせ、金銭を払うように要求するような仕事を請け負っているということだ。子ども連れ去り問題については第六章で詳しく述べるが、そんな人間が国連の子どもの権利委員会の委員なのである。

筆者が国連でこうした左翼のでっち上げやデマを阻止する活動を始めるまでは、国連は、反日左翼にとって嘘のつき放題の場だったのだ。その嘘やデッチあげが、政府への圧力となり、国連に良い顔をしたい議員らが国益を損なう法律を作ったり、それに起因する利権を作ったりしているのだ。国連では、嘘をついても罰則がない。何故なら、国連では、国家が強大な力を持って国民を弾圧しているという考えが大前提にあるからだ。これに対して、筆者はその反日左翼や北朝鮮、韓国、中国などのデマや捏造を「それは事実とは違う」と、証拠を突きつけて、一つ一つ、丁寧にひっくり返してきた。

この活動は、成功すれば表に出ないという性格の活動である。何故なら、公表される前に水面下で相手を制しているからであり、それによって、国連において新たな「日本を貶めるための勧告が出されない＝何もなかった」ように見え、一般的に認知されることがないからである。

しかし、現場での敵との攻防は、実際にはすさまじいものだ。

国連に通い続けたこの6年間で、数多くの抑止や抗議を行ってきたが、具体的にどんなことがあったのか、その代表的なものを以下紹介しよう。

## 被害者面して国を貶める

反日左翼は被害者になりすまし騙すのが得意である。ある時、沖縄の反基地左翼活動家で、米軍普天間飛行場（沖縄県宜野湾市）の名護市辺野古移設への抗議行動のリーダーである山城博治氏が国連に来て、自分がいかに日本政府から人権侵害を受けているかを盛んに主張していた。

山城氏は、保釈中だった2017年6月に、裁判所から海外渡航許可を取って、人権理事会に参加したのだ。

筆者は山城氏の渡航に関する情報を事前にあるルートから得ていたので、綿密な計画を立ててこの国連人権理事会のセッションに臨んだ。

山城氏は、人権理事会の本会合において、自身が如何に日本政府に弾圧されているのか、その「惨状」についてスピーチを行った。さらに、国連内において、沖縄の新聞社である琉球新報、沖縄タイムス、その他、日本だけではなく海外の反日NGOらと、国連の特別報告者であるデービッド・ケイ氏を招いてサイド・イベントを開催した。

驚いたのは、山城氏が「自分は微罪で逮捕されたのに、5カ月間も勾留された。さらに、留置施設には時計すらないので、時間を奪われて精神的にダメージを受け苦しんだ。家族にも会えなかった」などと、涙混じりに被害者を装っていたことだった。沖縄タイムスの記者も、いかに山城氏や沖縄県民が日本の当局や米軍によって弾圧されているかを盛んに語り、山城氏を擁護していた。

筆者は、事前に山城氏が沖縄防衛局の複数の職員に対して暴力を振るっている動画を入手しておいた上で、筆者と協力関係にあるフランスのNGOの代表と、このサイド・イベントで行う

日本政府から弾圧を受けていると発言する「沖縄平和運動センター」山城博治議長（下段中）。

国連内ロビーでデービッド・ケイ特別報告者に山城博治氏に関する情報を伝える筆者。

「ある作戦」を話し合っておいた。

その作戦とは、この仲間のＮＧＯ代表と筆者とが、イベントで主催者に質問をすることだった。イベントが行われる日の前日、イベントに参加予定のデービッド・ケイ氏に、山城氏の暴力シーンが収められている動画を送った上で、イベント開始前にケイ氏に対して、山城氏のこれまでの違法な活動に関する情報を、立ち話で流しておいたのである。そして、ケイ氏が山城氏らによって、利用されようとしていることも直接伝えておいた。

イベントの当日、作戦通りに仲間のＮＧＯの代表が質問時間に挙手して、質問を始めた。「自分の政治的な信念を貫くためには暴力を使用しても良いと考えますか？」というシンプルな質問だ。その直後に、筆者も続けて挙手をして、「私は、この山城氏が沖縄防衛局の職員らに暴力を振るっている動画を見たが、こんな暴力が許されると思っているのか？」との質問を行った。

ケイ氏は、事前に筆者からの情報を得ていたために、このイベントでは、山城氏を擁護する発言は一切できず、一般的な人権に関する話をするに留まった。

山城氏は、筆者らの質問に対して、「私は日本一のテロリストのように喧伝されている」などと、かなり焦った様子で答えていた。

この一連の出来事は、産経新聞が『国連利用に聴衆冷ややか　人権理事会で「抑圧」アピールの山城博治被告』という見出しで記事にしている（２０１７年6月18日付）。

そこには、こう書かれていた。

「ところが、山城被告らが防衛省沖縄防衛局の職員に暴力を振るう場面の動画に関する質問が飛び出すと、山城被告は『私は日本一のテロリストのように喧伝されている』とはぐらかした。

『加害者』だったことが暴露され、居心地の悪い思いをしたようだ。国連を利用して日本人が発信する〝嘘〟が封じ込められた瞬間だった」

もし、この山城氏、琉球新報、沖縄タイムスらによる国連での工作活動に対して、筆者らが何もしていなかったら、国連から日本政府に対して「国民の表現の自由を弾圧するな」などの勧告が出ることになっていただろう。この後、何の勧告も出されなかったことは当然のことである。

そもそも、保釈中である山城氏は、日本の裁判所の許可をとって、スイス・ジュネーブの欧州国連本部まで来ていたのであり、日本政府が国民を弾圧するような政府であるなら、渡航許可すらおりない、ということまで彼らには考えが及ばなかったのだろう。国連に来ている世界中のNGOは、自国の政府や軍の弾圧に苦しみ、第三国に避難や亡命をした上で、国連にその惨状を訴えに来ているが、この山城氏は国連で日本政府批判を散々行った上で、平気な顔で日本に帰国できるのだ。

これが意味するのは、山城氏やその取り巻きの新聞社らは、世界基準からかけ離れた完全に無知で場違いな行為を行って恥をかいたということである。

もう1つは、2019年8月に開かれた国連人種差別撤廃委員会に参加していた時のことだ。

筆者は、対日審査が行われる2日間、朝から終了まで会場にいて議事の進行を聞いたり、委員

にこやかに記念撮影をする沖縄選出の糸数慶子参議院議員、女性差別撤廃委員会のゾウ副委員長（中央）、そしてアイヌロビーの面々。

との会合に参加し発言を行っていた。しかし、翌日の日本の新聞に、沖縄選出の「糸数慶子参議院議員が国連で発言」という記事を見つけて驚いた。何故なら、朝から終了まで議場にいたにも関わらず、糸数議員の発言など一切、聞かなかったからだ。

そこで、国連内に事務所を構えるメディアの知り合いに聞いてみた。すると、「日本の左翼NGOが、国連の委員に対して『藤木さんが怖い』と言って、開始1時間前に委員たちと別な場所で会合を開いたのです」と教えてくれた。これまで、国連での左翼の嘘を一つ一つ覆してきたため、反日左翼らは、筆者を国連の会合から排除さえすれば、従来通り自分たちのウソを広められる独壇場になると思ったのだろう。どこまでも姑息な連中である。

このような妨害は、今後も起こる可能性があり、保守派の国連での活動の機会を増やす必要があると考えている。読者の皆さんの中で、自分も国連での反日左翼の成敗に参加したいと考える方がいれば、筆者に連絡をいただきたい。直接参加、間接参加、活動資金提供など、様々な参加形態がある。

## 敵は日本の反日左翼だけではない

日本を貶めようと必死な我々の敵は、日本の反日左翼だけではない。歴史問題を捏造し、日本に金銭を要求し貶める韓国、北朝鮮、中国なども問題である。

2019年3月には、人権理事会のハイレベル・セグメントにおいて、韓国の康京和《カンギョンファ》外相が13分程度の発言を行い、慰安婦問題に関してまたも日本批判を行ったのだ。2015年末の慰安婦問題に関する日韓合意で、「国際社会において、この問題をもう持ち出さない」と約束していたにも関わらずだ。

さらに、北朝鮮政府代表団も、拉致問題は日本政府との合意ですでに解決済みであることや、朝鮮学校を無償化しないのは、人種差別であるなどの発言を行った。

国連人権理事会ハイレベル・セグメントにおいて３年連続で慰安婦問題を持ち出した韓国の康京和外交部長官。

そこで、筆者はすかさず人権理事会でＮＧＯの発言枠を取り、この２カ国に対して別々に反論を行った。

韓国に対しては、こう反論のスピーチを行った（反論の詳しい内容は、YouTubeの『字幕【テキサス親父事務局】国連で韓国の度重なる条約違反を追及　発言：藤木俊一』という題名の動画を参照していただきたい）。

「韓国の大法院（最高裁判所に相当）は、徴用工問題に関し、徴用工は強制労働者であり、日本の企業は賠償金を支払えとの判決を下した。ところが、徴用工のほとんどは、高額の収入を求めて日本に渡航してきた労働者であった。徴用が行われたのは６カ月間だけであり、それも国際法に沿ったものであった。いかなる補償に関しても、１９

65年に日本と韓国の間で調印した日韓請求権協定（財産及び請求権に関する問題の解決並びに経済協力に関する日本国と大韓民国との間の協定）において、完全かつ最終的に解決済みである。日本の最高裁判所でも個人の請求権は無効であるとの判決が出ている。

韓国の裁判所の判決に基づき、日本の企業に『補償金』を要求するのは、法的拘束力がある2国間の条約を破棄することに等しい。このような韓国政府の言動や行動は、日本の主権を侵害し、日本人の権利を踏みにじっている。

さらに、韓国の康京和外相は国連においても、2015年12月に締結した慰安婦問題での日韓合意を繰り返し反故にしている。条約とは法的拘束力をもった国家間の約束であり、子どもでさえ、約束を破ることが悪いことであることを知っている。康京和外相は、慰安婦問題の話をする前にベトナム戦争時に韓国軍の軍人たちがベトナム人女性たちに対して行った『性暴力』に関して、被害者中心の解決を図るべきである。国連人権理事会は、韓国の常軌を逸した外交を正すことに直ちに着手し、ライ・ダイ・ハンと呼ばれているベトナム人の被害者たちに対して心から謝罪するように、韓国政府に対して命じて欲しい」

北朝鮮政府に対する反論は次の通りだ（詳細な内容は、YouTubeの『字幕【テキサス親父事務局】国連で北朝鮮政府の事実に反する発言に反論　発言：藤木俊一』という題名の動画を参照していただきたい)。

「北朝鮮政府代表団は、日本に対し、強制されてもいない『強制労働者』に関すること、単なる戦時売春婦であった『性奴隷』に関すること、ルールを守らない『朝鮮学校の補助金』に関することで非難した。

この(北朝鮮政府代表団の)発言には根拠がない。北朝鮮は、『拉致問題』に関して国際社会から『残酷な人権犯罪』として継続的に非難されている。第二次世界大戦中に日本企業で働いていた朝鮮人たちは、『強制労働者』ではなく単に『戦時労働者』であり、北朝鮮政府代表団の発言にあった『奴隷労働者』とは全く違う。

『慰安婦』は『戦時売春婦』である。歴史問題を解決する上で最も重要なことは、『被害者中心のアプローチ』ではなく、『事実を中心にしたアプローチ』でなければならない。

『被害者中心』では、感情的かつ主観的な見方になる。『被害者中心のアプローチ』では、自称慰安婦たちの一方的で排他的な『証言』に偏る。しかし、『検証』は証拠に基づいて行わなければならない。しかし、自称慰安婦たちの証言は、証拠に基づいていない。

また、『韓国学校』は文科省の基準に則しているので、日本政府から補助金が出されているが、『朝鮮学校』は、基準に則していないために補助金が出されていないのであり、朝鮮学校が文科省の基準を満たせば、翌日からでも補助金支給の対象になる。北朝鮮は、真摯に人権問題に向き合い、人権侵害をやめ、北朝鮮自身が工作員を使って拉致したことを認めている、日本から拉致した『拉致被害者』全員を返還せよ」

このように反日左翼NGOだけではなく、韓国や北朝鮮も、日本を国際的に貶めようと躍起なのだが、日本政府の対応は、「遺憾の意」の表明程度であり、効果的な反論はほとんど見られない。ただ、安倍政権になってからは、従来の対応から格段の進歩があることを、公平を期すために付言しておく。

## 外務省は腐りかけたミカンの入った「ミカン箱」

私はこうやって、彼らと戦ってきたが、それにはお金も時間もかかる。部落解放同盟系のNGOである反差別国際運動などは現地に常駐してロビー活動をしているが、私たちにはその余裕がない。

スイスは、とても物価の高い国で、マクドナルドのハンバーガーセットですら1800円くらい、スパゲティーは3000円もする。ホテル代は1泊4万円が普通である。こうした事情もあって、筆者は国境を越えたフランス国内にアパートを借りて、日本からインスタントラーメンやレトルト食品を大量に持ち込み自炊しながら、国連にレンタカーで通っている。それでも1泊あたり、1万2、3000円はかかってしまう。そして、国連に行った際には、確実に2週間から1カ月は滞在することになる。国連への渡航だけでも、1年に少ない時で3回、多い時は5回、6回にもなる。

保守側でこうした毎回のセッションに参加し活動しているのは、残念だが筆者1人だ。左翼の戦いの舞台は国連なのである。だからどうしても私も国連に行って張り付かなければならない。一方、左翼の側はそれだけの経費をかけて反日活動をしているわけだから、筆者を排除する必要がある。

重要なのは国連でのロビー活動なのだ。現地に常駐できれば、もっと効率的に活動ができる。左翼の人間たちは毎日のように国連に通い、常に人に会っている。頻繁に会って話をしていれば、人はその人の話を信用してしまうだろう。左翼はそれを利用しているのである。

筆者の国連での活動を見て、外務省内の数人の官僚からも応援の声が届いている。いくら外務省のような組織でも、1人や2人はまともな人がいる。その人たちは数少ない愛国者であり、国を憂えている人たちなのだ。

2019年の秋、評論家の西村幸祐氏がインターネット放送の文化人放送局の番組で、ある外務省内部からリークされた文書を明らかにした。令和元年8月19日付で、台湾の双十節（中華民国の建国記念日）の祝賀レセプションに関して、外務大臣が出したという文書だ。そこには次のような内容が書かれていた。

双十節レセプションは中華民国の成立を祝うという政治的意味合いを持つもので、会場に中華民国と書かれた垂れ幕や「国旗」などが使用される可能性もあるため、台湾の在外公館から招待を受けても出席しないように――。

さらに、平成24年には、台湾の館員との接触要領という文書が配布されており、台湾の館員への公式訪問も公式招待も行ってはならないとされていた。

いずれもアジア大洋州局中国・モンゴル第1課が発信元である。

台湾は東日本大震災に際して250億円もの義援金を届けてくれた。それなのに、こうした扱いなのである。いかに中国に気を使っているかがわかる。

何故、外務省はこのように「偏向」しているのだろうか。

外務省のキャリア職員は国家公務員1種採用試験に合格すると、約2年の本省勤務を経て、その後、2~3年、研修国の大学・大学院に留学する。だれをどこの大学に留学させるかは、当然、中国も韓国も知っている。

東大や京大を出て外務官僚になり、外国に行くと、これまで海外で遊んだこともない彼らの中には、ホームシックにかかってしまう者もいる。そこにスパイが待ち構えているのだ。アジア人の女性が近寄ってきて、「何をしてもいいわよ、私はあなたに尽くしてあげる、好きなようにして」とハニートラップを仕掛けるわけだ。そして子どもが出来て結婚する。そうなれば、もう日本政府内の情報は筒抜けで、向こうの思惑通りの工作活動が可能となる。これは、外務省の官僚が筆者に証言した実話である。

このため、昔は妻が外国人の場合は高級官僚になれなかった。ところが今や、左翼が差別だと言って抗議するためか、高級官僚になれてしまう。だから、外国人を妻にしている人は絶対に高級官僚にするべきではないのだ。これは「人種差別」ではなく、日本という国家の「安全保障」問題なのだ。

2015年末に日韓慰安婦合意が成立した。外務省の中にいる人に言わせれば、あれは官邸がだまされたのだという。仕掛けたのは外務省の一部の人間だったそうだ。官僚は政治家を簡単にコントロールできる。彼らは情報をいくつも持っているが、その中で自分たちに都合のよい情報に絞って首相官邸に上げる。そして「現在はこのような状況になっていますが、どうしますか？どの対策を選びますか」とお伺いを立てるのである。そうすれば最終的には、安倍首相自身が決めたことになる。このように外務省は国益に反することばかりやっているのだ。

もっとも深刻なのはチャイナスクール（研修語に中国語を撰択した外交官たち）である。内部の話が全部、流出しているといっても過言ではない。外務省の誰かから漏れているのだ。しかし、証拠がない。メールなどの記録を調べても出てこないだろう。たとえば外務官僚の妻から情報が他国に流れていたとすれば、証拠が残らないように口伝えの可能性が高いからだ。そして、私はその人物が誰なのかを知っている。

外務省のセキュリティがとても甘いことにも驚かされる。私に情報を提供してくれる外務省内の複数の愛国者によれば、とにかく書類などの管理が杜撰《ずさん》だという。

たとえば、それが極秘文書でもあっても、そのあたりの机の上にポンと置いてあるという。アルバイトの人間であっても、読もうと思えば読むことができる。国家の安全保障など彼らは何ら深刻に考えていないのだ。

さらに外務省が問題なのは、首相官邸に一番近い省で、また皇室にももっとも近い省であるという点である。宮内庁には外務省から出向している人間が多数いて、彼らが皇室外交を担当している。

私は外務省の官僚と日弁連の人間がつながっているかどうかを、注意を払って見ている。左翼は皇室を破壊したいと考えているのだ。国連で皇室典範は女性差別だという見解書が出るのも、外務省と左翼とが連携しているからであろう。

もう1つ、深刻なのは、在外公館に勤めると、自国の国益を相手に伝えるのではなく、相手の国益になることを日本政府に伝える外交官が多いという点である。つまり相手国の代弁者になるわけだ。

外務省の中にも慰安婦問題で戦っている立派な愛国者はいる。しかし、彼らが発言すると、省内で叩かれてしまうそうだ。官僚は自分の意思を主張すれば、出世はおぼつかない。このため、座右の銘が「面従腹背」と言い放った前川喜平・元文科省事務次官のように、のらりくらりとした人間が昇進を重ねていくのである。何もしないのが一番、というわけだ。

2019年4月、世界貿易機関（WTO）は、東日本大震災に伴う原発事故で、福島県などの水産物の輸入を規制している韓国の措置を容認する判断を下した。第1次パネルでは日本が勝っていたが、上級委員会で一転して負けてしまったのだ。韓国は1カ月前から20人以上の人間をジュネーブに送り込んで、ロビー活動を行ったのである。しかし、日本は何もせず、この間、どこからも韓国の動きに関する情報を取れなかったのだ。普通なら情報は必ずどこからか耳に入ってくるはずだ。つまりそれだけ外務省の人間は仕事をしていないのである。

最終的に、外務省に責任はなく農水省が責任をとるかたちになったが、このように外務省はいっさい責任を負わない省、負わなくて良い仕組みなのである。官僚たちの多くは自分のことしか考えていない。筆者は国連で活動していて、本当に情けなくて涙が出ることすらある。

## 国連は「中国植民地」

国連で筆者が取り組んでいるのが、慰安婦問題だけでないことは、これまでの説明でご理解いただけたと思う。2019年9月、筆者は国連の人権理事会に香港の活動家2人を招聘した。香港で今、何が行われているかを公にするためだ。

しかし、その人権理事会の理事国を務めるのが、加害国であり当事国でもある中国なのだ。ここ6年間だけを見ても、理事国には、自国民を公権力が弾圧している中国、キューバ、ベネズエラ、パキスタン、サウジアラビア、カタール、モーリタニア、スーダン、レバノンなど、とても人権を扱う理事会に相応しいとは思えない国々が並んでいる。日本は、昨年まで（2017～2019年）理事国であった。

米国のトランプ大統領は、人権弾圧国家が理事国になれるような仕組みは受け入れられないとして、2018年6月に脱退を表明した。ヘイリー米国連大使（当時）は「人権を踏みにじるような偽善的で利己的な組織」だと非難した。まさにその通りである。国連人権理事会自体がジョークのような組織なのだ。それを米国のように無視するならば良いが、日本政府は、この国連の強制性もない決議を金科玉条のごとく守り、崇拝しているのだ。

米国が国連人権理事会を脱退した理由は、新疆ウイグル自治区や南モンゴル、チベットなどで人権弾圧を行っている中国に加え、奴隷を使っているモーリタニア、自国民の大量虐殺を行っているスーダン、自国民を弾圧し、イスラム原理主義テロ組織「ヒズボラ」に支援を受けているレバノンなどへの非難決議はほとんど出されないが、一方で、イスラエルへの非難決議は異常なほど数多く出され、「人権ではなく政治的意図をもって動いている」というものだ。アメリカの大統領を非難したい人たちは、パレスチナの一方的な被害の話のみを取り上げて、イスラエルを貶めている。そのため、「こんなでたらめな人権理事会にいられるか」と言って、トランプ大統領が脱退を決意したのである。さらに理事国の顔ぶれを見ると、アジアやアフリカなど、チャイナマネーに汚染された言わば経済植民地の国々が数多く入っている。

筆者は昨年、その人権理事会で香港の女性活動家に香港での人権侵害について語ってもらったのだが、人権理事会でNGOに認められる発言枠はたったの90秒である。

女性活動家は、香港当局が市民に対して催涙ガスやゴム弾、スモーク手榴弾などを使って弾圧している実態を告発した。そして市民がヘルメットをかぶり、防毒マスクをしてゴーグルをつけて身を守っていることを訴えた。さらに、警察官が性的暴行を行っていることにも言及した（香港の警察は広東語ではなく北京語をしゃべっていたという。要するに正体は香港の警察の制服を着た人民解放軍だという）。すると、そのわずか90秒の発言枠の中で、中国の代表が彼女の発言を制止した。議長が続行を許可して、再び彼女がしゃべり始めると、またもや制止。90秒の発言に対して、なんと3回も発言が制止されたのである。中国政府は、筆者が招聘した香港人の女性に対して、あからさまに嫌悪感をあらわにした。

さらに、今度はエリトリアが出てきて、同様に女性活動家の発言の停止を求めてきた。エリトリアはアフリカにある小国で、中国から多額の援助を受けている中国の経済植民地の1つである。加えて中国の友好国であるキューバも同様に彼女の発言の制止に乗り出してきた。こうして次から次へと中国の息のかかった国が登場して、彼女の言論への弾圧のために加勢に回った。

こうしたことは何ら珍しいことではない。人権理事会では、常にこのようなことが起こっているのである。

たとえば2019年10月29日の人種差別撤廃委員会で、日本、米国、英国、欧州諸国23カ国が、新疆ウイグル自治区での、イスラム教徒の少数派ウイグル人らに対する「恣意的拘束」をやめる

左から、筆者、ドルクン・イサ世界ウイグル会議議長、香港の活動家兄妹（国連内にて）。

よう、中国に求める共同声明を発表した。中国は、国連から求められている人権についての実態調査の受け入れを拒み、条件を付けているため、国連関連機関が制限なく現地に入れるように中国側に求めたのである。

これに対して同日、中国の新疆ウイグル自治区に関する政策を支持するという声明がベラルーシの国連大使から出された。さらにコンゴ、パキスタン、ロシア、エジプト、ボリビア、セルビアなども同調した。詳しく報じられてはいないが、おそらくもっと多くの国が同調したはずである。

その他にも、２０１９年7月10日の人権理事会において、日本、米国、英国、欧州など22カ国が、理事会議長および人権高等弁務官宛てに、中国の新疆ウイグル人への人権侵害を批判する書簡を提出した。これに対して、2日後の7月12日、中国が新疆ウイグル自治区に設置した拘留施設はセパレーティズム（分離主義）やテロ対策のためであり、適切な措置だとする書簡が37カ国の署名入りで、提出されたのだ。

この37カ国も全ては公表されていないが、中国、コンゴ、パキスタン、ロシア、エジプト、ボリビア、セルビア、ベラルーシ、北朝鮮、ジンバブエ、シリア、ミャンマーなどが中国の政策に理解を示し、署名したとされている。

これらの国々もまた、ほとんどが中国の「経済植民地」だと言えよう。

## 中国が意のままに操り始めた

中国は国連人権理事会を意のままに操り始めている。

アメリカが人権理事会を抜けたことで、中国は最大の資金拠出国にもなったのだ（日本は2番目の拠出国）。こうした状況を利用して、中国が国連を非常に巧妙にコントロールし始めているのである。

特に国連内部の警備部門に関しては、すでに中国の手に落ちていると考えざるを得ない。

たとえば、筆者は国連内に入るための入館許可証を持っているが、それを理由なく取り上げることができる。国連の警備を操れば、「セキュリティに対する脅威」という理由で、都合の悪い人間を締め出すことができるのだ。

実際に、次のような事例があったので紹介しよう。

1つは、中国から直接的、間接的に弾圧を受けている人たちを救うための人権NGOを排除する動きである。筆者が所属する国連NGOである国際キャリア支援協会の友好団体である「世界ウイグル会議」のドルクン・イサ議長は、ニューヨークの国連本部のカフェテリアにいる時に、私服の国連のセキュリティ4人に囲まれ、理由も告げられずに入館証を剝奪され、国連内への立ち入りを禁止された。

彼は、中国政府による新疆ウイグル自治区のウイグル人への弾圧を、国連や欧州議会をはじめとする世界中の政府等へ働きかけている著名な人権活動家である。このため中国政府にとっては、非常に都合の悪い人物なのだ。そのため、中国政府は、彼に「テロリスト」というレッテルを貼り、インターポール（国際刑事警察機構）を通じて、国際指名手配していた。

当時のインターポールの総裁は、中国の孟宏偉《マンホンウェイ》氏であった。その後、インターポールはイサ氏の国際指名手配を解除したが、その直後の2018年10月に、孟氏は突如、中国当局に拘束され、行方がわからなくなった。後に釈放されたとのことだが、以後の消息は不明である。

オルホノド・ダイチン氏（モンゴル自由連盟党代表）と筆者（国連パレ・ウイルソン内にて）。

さらに、イギリスの「ボラン・タイムズ」の記者も、イサ氏と同様に、国連への入館バッジを国連の警備によって剝奪された1人である。彼は、中国の「一帯一路構想」について批判的な記事を数多く書いていた記者で、理由も告げられずに、国連への立ち入り、取材ができない状況になっている。

また、南モンゴルの活動家、モンゴル自由連盟党代表のオルホノド・ダイチン氏の場合は、資料を一次的に奪われた。２０１８年8月、彼と人種差別撤廃委員会に参加し、発言してもらったのだが、その時彼は委員への説明のための資料を30部ほど持ってきていた。ところが、国連の建物内に資料を持ち込もうとしたところ、セキュリティに持ち込みを止められた。

筆者はその時既に会場内にいたのだが、ダイチン氏によれば、資料を全て没収されたとのことだった。たまたま、筆者と顔見知りのセキュリティ担当がいたので、何故だめなのか、中国に関係あるからなのかと聞いたところ、「そうだ」と答えて、こう教えてくれた。「国連の警備当局からは入れるなと言われているが、高等弁務官事務所のほうからは入れてよいと言われている。だから現場では困っている」。

筆者は彼に「なんとか持ち込めるようにしてくれ」と頼んで、さらに筆者が高等弁務官事務所と掛け合って、やっと資料を持ち込むことができたのだが、これもセキュリティが完全に中国に押さえられていることを裏付ける出来事であろう。

人権を守るための組織であるはずの人権理事会や人権関連各条約体委員会において、理由も告げられないまま、こうした抑圧行為が行われているのが国連の現状である。

中国がいかに国連の人権理事会で影響力を拡大しているかについては、英「エコノミスト」誌（2019年12月7日号）で次のように報じられている。

「2017年4月、経済・社会問題担当の国連事務次長だった呉紅波《ウホンボ》氏が、国連の先住民に関するフォーラムに出席していたドルクン・イサ議長を退場させた。米独の外交官の抗議で出席は認められたが、不偏不党でなければならない立場であるはずの呉氏は、中国のテレビで『我々は国の利益を守らなければならない』と自らの行動を自慢した」

同誌はこうも述べている。

「中国の国連での取り組みは、人権から経済開発まで多岐にわたるが狙いは2つある。1つは中国共産党による支配に対する批判を封じ込め、安全地帯を国連に作ること。もう1つは（国連が出す文書に）習近平国家主席の思想を反映する文言を入れることだ。……中国にとって重要な問題が投票にかけられることになると、中国の外交官はあからさまな取引を武器に使う。中国に賛同するように、対象国に対してプロジェクトへの融資を持ち掛けたり、反対に融資をやめると脅したりするのだ。このやり方で中国は影響力を行使できるのである」

## 筆者もターゲットになっている

国連の中には反中国のNGO連合があり、約50の団体が所属し、これに筆者も推薦されて参加している。そこには中国の人権侵害に苦しむウイグルやチベット、南モンゴルの人もいるし、パキスタンの人たちなどもいる。直接的、間接的に中国共産党独裁政治下の人権弾圧の犠牲になっている人たちである。間接的というのは、たとえばスリランカのように、国が中国に借金漬けにされて、自分の住む町をとられて追い出されたような人たちである。そういう人たちも含めて、私たちは、国連内で連携を図っている。そして何か情報があれば、即座に対応できるようにしているのだ。ある意味、集団的自衛権の行使である。

筆者はこれまで国連内で、数多くのサイド・イベントを開催したり、他のNGOが主催するサイド・イベントにスピーカーとして招待されたりした際、中国共産党独裁政治に批判的な発言を行ってきた。そんな中、国連内で筆者に、カメラやビデオカメラを向ける中国人と思われる職員や、政府関係者の存在に気がついていた。中国を批判するサイド・イベントでスピーチするわけだから、当然、中国から厳しくマークされているのだ。

前述の通り、2019年9月の国連人権理事会では、筆者が香港の活動家2名を招待して、香港で起きている中国政府による市民への弾圧と人権問題を訴えるサイド・イベントを開催した。その期間中、筆者は、常に国連内で中国当局にマークされていることを感じていた。

ある日、ジュネーブ駅の裏にあるバス停で、香港からの活動家と一緒にバスを待っている時に、道路の反対側から、こちらにカメラを向ける男性の存在に気づいた。筆者は、すぐに黙ってその男に背を向け、隣にいる香港の活動家に、筆者が左を向くので、その男性の動きを見て欲しいと依頼した。

カメラを構える男性に背を向けた状態から、左を向くと、その男性は左側に移動、逆に右を向くと右へ移動し、こちらにカメラを向けていたことが確認された。

その香港の活動家は「本当にこんなことがあるのですね」と非常に驚いている様子だった。また、同時に自分たちは大丈夫だろうか？　という不安も漏らしていた。彼らには、事前にその危険性を伝えてあったのだが、半信半疑だったのだ。

筆者は前述の通り、ジュネーブ近郊あるいはフランスに毎回、1カ月ほど滞在するため、ホテルではなく週単位で借りられるアパートや宿泊施設に泊まっている。また、物価の高い場所での外食は極力避けて、食材を持ち込んで自炊をしながら国連に通っている。

国連関連の活動をしていると、各国のインテリジェンスに務める人たちとも知り合い、付き合いが生まれる。その1人が、たまたま日曜日に、筆者が宿泊していたアパートに遊びに来た。部屋に入って10分ほど経った時、「シュン（筆者）、この部屋、何かおかしいぞ」と言い始めた。「キッチンとリビングに同じ形の時計が合計3台ある」と言うではないか。

確かに、青いLEDの光で数字を表示する置き型のデジタル時計がリビングに2台、キッチンに1台置いてある。そのうちの1台を手にとってカバーを開けてみると、マイクロSDカードがささっていた。早速、取り外したカードをパソコンに入れてみると、その10分間の会話と映像がバッチリ記録されていたのである。モーションセンサー（＝人体感知センサー）付きであった。

さすがインテリジェンスの人間である。

これを誰が仕掛けたのかは不明だが、3枚のマイクロSDカードを持って、ジュネーブの警察に被害届を出しに行った。後日、警察より、犯人は逮捕されて、1100フラン（約12万3000円）の罰金刑になったとの通知が郵送されてきた。どのような人物かはそこには記載されていなかった。

他にも、この6年間で、様々な中国による妨害であろうと思われる事態に遭遇してきた。

我々の敵は、日本を貶める反日左翼だけではなく、国連内を我が物顔で闊歩しているいわゆる中国のNGOである。中国にNGOが存在しないのは明白だが、実際は、国連には中国のNGOと称する団体が数多く存在する。そのNGOが国連内で配布している小冊子などを見れば、そこには中国政府印刷局発行であることが記されている。頭隠して尻隠さずである。そして、中国政府の意のままに、プロパガンダを拡散しているのである。

## 脱退よりも大改革を

近年、日本国内でも「国連人権理事会離脱論」があちこちから聞こえてきている。我々の国連での様々な活動報告、産経新聞の国連に関する継続的な記事、米国の離脱やその報道などで、国連が機能停止に陥っていることを認識し始めてきた人が増え続けているからだろう。しかし、国連を今、脱退したら逆効果である。前述の通り、去年の7月にアメリカが国連の人権理事会から脱退した。その代わりにアイルランドが理事国になったのだが、アメリカがいた時のほうが、筆者たちはまだ自由に行動できていた。

日本が離脱した場合は、中国による国連の私物化が加速し、取り返しがつかない状況になると考えている。従来は、自由主義陣営と社会主義陣営の綱引きの場であった国連が、現在は日本、英国などの「先進国」vs「中国の経済植民地プラス社会主義国連合」という構図に変わってきているのだ。人口1万人に満たないツバルも国連加盟国であり、人口1億2千6百万人の日本と同様に「1票」をもっているのだ。

現在、やるべきことは、日本政府が米国に働きかけて、国連の大改革を行うか、国連そのものの解体と新たな国際的な機関の創設であろう。日本はいまだに「敵国条項」に入っている国だ。国連は、創設時の思惑とはすでにかけ離れた組織になっている。戦勝国ではない中国を常任理事国として迎え入れた米国などの罪は重いと言える。だからこそ、中国を引き入れた米国が責任をとって国連を改革し、中国を排除する必要性があると筆者は考えている。その時まで、日本は米国に対して復帰を要請し続けるべきだろう。

筆者は、日本は大きな資金拠出国なのだから、もっと影響力を発揮すべきであると言い続けて来た。しかし、官僚はそれをやると仕事が増えるからか、何もしようとしないのだ。筆者はそのことに強い危機感を抱いている。

# 第二章

# 日本を救え
## ——私の戦い

## 日本人の信用を守れ

筆者はこれまで慰安婦問題をはじめ、いわゆる徴用工問題や、中国の人権蹂躙、香港の民主化弾圧、沖縄問題、子どもの連れ去り、男女共同参画など、様々な問題に取り組んできた。

過去約40年間、日本の左翼活動家たちは、国連を我が物顔で闊歩し、歪曲やデマをもとに、国連から、日本政府に対する「勧告」を引き出してきた。さらに、それを反日マスコミが金科玉条の如く報道するというマッチポンプ状態が続いてきたのである。

筆者が国連に行き始めたのは6年前。右も左も分からない状況で飛び込んで行ったら、なんと、反日団体が大手を振ってのし歩き、いざ会合に出てみると、全く根拠のないことが、あたかも日本で実際に起きている問題であるかのように説明されていた。これには正直驚いた。

そして、嘘を言っても何の罰則もないのが、国連なのだ。

特定のアジア諸国のような「嘘吐き国家」が、理事会や委員会にいるために、当然、嘘に対して罰則を付加しようものなら、それらの国は国連内に存在できなくなるだろう。それゆえに嘘に対する罰則がないのではないか？　と勘ぐってしまうくらいだ。実際には、国連人権関連の理事会や委員会は、国家は強大な権力を持っており国民を弾圧できるため、弱者である市民社会から

ジュネーブ国連欧州本部内にて。

幅広い意見を集めて、人権蹂躙をしている国家に対し、是正を求めたり勧告を出したりするためにある、とされている。

国連に、事実に基づかない嘘が持ち込まれた時には、その場できっちり否定し、絶対に慰安婦問題のような〝欠席裁判〟にさせないことが重要なのだ。

ここで、筆者の簡単なプロフィールを紹介させていただこうと思う。１９６４年生まれで、自動車用品の大手チェーンに入社。24歳で電機メーカーを創業し、音響機器、自動車関連部品、電気機械などの製造を行いながら貿易に従事してきた。その間に日本の素晴らしさを実感し、それを伝えるために保守活動を始めた。

２０１０年にテキサス親父日本事務局を創立

し、テキサス親父ことトニー・マラーノ氏のメッセージを日本国内に発信する活動を開始。さらに、インターネット番組やラジオ、テレビなどでも言論活動を続けている。

筆者が小学校低学年だった頃、当時航空自衛官であった父親に「何故、自分は生まれてきたのか」と尋ねたことがある。すると、「人のためになるためだ」と言われたのだ。「学校で食べている給食だって、知らない人が野菜をつくってくれて、それを運送屋さんが運んで、それを調理してもらってお前は食べているんだ」と。その時はよく意味がわからなかったが、将来、何か人の役に立つことをしたい、ということは考えていた。

24歳の時に起業し、海外に自社製品を売りに出かける機会が増えた。行った先々の国で、筆者が日本人だとわかると、ある意味、無条件で信用してくれることに驚いた。日本の国旗「日の丸」が筆者の後ろにあるからだと気付くのにさほど時間はかからなかった。中国人の藤木でもなく、韓国人の藤木でもない、「日本人の藤木」が言っているんだから信用できる、というわけだ。

このアドバンテージは商売以外でも、非常に大きかった。

そのころはまだ欧州連合（EU）などなかったので、仕事でヨーロッパに行く時は、各国の空港でその都度、パスポートを見せなければならなかった。しかし、驚いたことに、入国管理の係官はパスポートをまともに見ないのだ。パッと開いてさっと戻すだけ。スタンプすら押さない。

ある時、ベルギーのブリュッセルの空港で、「俺はテロリストかも知れないよ」と笑いながら冗談を言ってみた。隣のレーンの外国人たちは詳しく調べられているのに、何故、自分は調べられないのか、パスポートにスタンプも押さないのか不思議に思ったからだ。すると係官は「日本人はベルギーに来て事件を起こしたり悪い事をしたりしないからな。それよりも、いつも犯罪を起こすほうを調べるほうが効率的だからだよ」と、笑いながら答えたのだ。さらに、「もちろん日本人が罪を犯し、それが度重なれば、調べることになるのかもしれないけどね」と付け加えた。「なんだそれ」と驚いた。これは、ひとえに私たちの先人たちが作ってきた信用のお陰。その信用のもとで、筆者は商売をさせてもらっていたのだ。このことを実感してから、後世の日本人たちにも、同じ思いを享受してもらいたいなと考えるようになった。日本人である、ということの利益と誇りを知ってもらいたいと思ったのだ。

## テキサス親父との出会い

しかし、日本人の誇りを毀損《きそん》しようという人間たちが中国、韓国、アメリカ、そしてあろうことか日本にさえも、うじゃうじゃといる。

そんなことをぼんやりと考えていた時に、偶然、YouTubeでテキサス親父の動画を見つけた。

デンマーク領フェロー諸島までシーシェパードを追いかけて行き、日本への嫌がらせに対して抗議するテキサス親父。

シーシェパード（米国の反捕鯨団体）の話だった。そのころ、シーシェパードは日本の捕鯨漁師や、捕鯨船が寄港する港周辺の日本人や漁師たちに対し、「鯨を食うなど野蛮人がすることだ。捕鯨をやめろ」「鯨がかわいそうだと思わないのか?」などと暴力的に迫っており、筆者も非常に気分の悪い思いをしていた。筆者の世代の頃の学校給食には、鯨の竜田揚げなどの鯨料理が頻繁に登場し、家庭でも普通に食卓に上がる食材だったが、ある時を境にそれがなくなってしまったからだ。これに対して、テキサス親父は彼らを「食の帝国主義者」と呼び、「何故、島国の日本に行って、えらそうなことを言っているんだ。太古の昔から日本は食べるものを海から採ってきている。それを白人のお前たちがつべこべ言う権利はない」と非難していた。

強烈な印象が残った。さっそく、筆者は日本の人たちに見てもらおうと、投稿された動画をダウンロードして、勝手に日本語字幕をつけて、ニコニコ動画に投稿した。それ以後、シーシェパードは日本でバッシングを受け始め、「これで奴らも少しはへこんだだろうな」と思っていたら、彼らはなんとこうコメントしたのだ。「大きな海洋生物は、鯨もマグロもイルカも水銀汚染されている。そんなものを食べたら日本人は水俣病と同様の病気になる。我々は日本人の健康を考えて忠告してやっているんだ」と。すると今度は、テキサス親父がそれを取り上げて、「お前たちオーストラリア人やアメリカ人が、世界で一番平均寿命の長い日本人に対して何を言っているのだ。まず、肥満が原因の糖尿病や心臓病、癌などで数多くが死んでいるお前たちが、自分の国のことを心配しろ」という動画を上げた。これは痛快だった。この人はすごい、そして面白いと思い、筆者はまたそれに字幕を付けて投稿した。

やがてこの動画に触発された人たちは、テキサス親父が動画を出すと、かわるがわる勝手に字幕を付ける作業を始めた。いまだにその人たちが誰だったのかは知らないが、おそらく3人はいたと思う。

バッサバッサと反対勢力に斬り込んでいくテキサス親父のその姿勢とメッセージは、心底、痛快だ。

テキサス親父は筆者が同行を依頼した国連の会合でも同じことをやってのけた。

ある人権関連の委員会において、ジュネーブに事務所まで構えている左派系のＮＧＯが「日本では部落、アイヌ、琉球沖縄、それから朝鮮人が差別されている」と主張した時のことだ。テキサス親父は手を挙げて、「では日本にいて差別されているブラジル人とかカナダ人、フランス人たちを何故この中に含めないのか。これ自体が差別ではないか」と発言し、外国籍では朝鮮人の差別だけを取り上げる矛盾を突いた。それは他の外国人に対する差別ではないかと訴えたのだ。それ以降、国連のある委員会では「日本に住んでいるマイノリティの外国人」と言い換えることになった。

このように、一瞬で情勢をひっくり返す場面を、筆者はこれまで何度も目撃してきた。改めてこの人のすごさを感じたものだった。

彼は身長が１５０センチもない。子どものころにいじめられなかったのかと尋ねると、「ケンカはしたことがある、でもコテンパンにやられたから腕力では勝てないと思った、だから考えることにしたんだ」と言っていた。

テキサス親父は、ニューヨーク州の大学で歴史学を専攻した。実は、彼の父親や従兄弟など親戚27人が、第二次世界大戦で日本と戦うために従軍していたのだ。航空機の整備士ばかりだったために、実際に日本軍相手に弾を撃ったりしたわけではなかったそうだ。彼らは、誰も日本の悪口を言わなかったという。そればかりか「日本人はすごい」というようなことを言っていたそうだ。それから自分は日本に強く興味を持ったのだと話していた。

## 韓国の虚構を覆す

テキサス親父は、数値、一次資料や事実に基づいて論理的に議論することでも人気を集めている。アメリカでトヨタのリコール問題があった際には、ゼネラルモーターズ（GM）やクライスラーのほうが、より問題が多いではないか、と具体的な数字を持ち出してきて批判した。これに関しては、当時、日本の地上波テレビでも取り上げられた。

２０１７年にソウル市とソウル大学人権センターが、「朝鮮人慰安婦」の存在を証明するという「初の映像」を公開したことがある。映像は、１９４４年9月8日ごろ、中国雲南省・松山で米軍により撮影されたものとされ、撮影時間は18秒。映像には慰安婦とみられる7人が映っていた。

また翌年にも、旧日本軍による「朝鮮人慰安婦の虐殺」を証明するものだとして、ソウル市とソウル大学人権センターが映像を公開した。この時の映像は19秒で、１９４４年9月に中国雲南省・騰衝で撮影されたものだと韓国メディアは伝えた。そこには、6人くらいの死体がころがっていて、少し煙が上がり、人がその回りを歩いている姿が映っていた。それを「殺された慰安婦の死体が並んでいる。歩いている人間は日本の軍人だ」と主張したのだ。

テキサス親父と筆者は、すぐにワシントンDC郊外、メリーランド州にある国立公文書記録管理局に出向いて調査し、即座に反論した。

映像はデジタル化され、音声はいっさい付いていなかった。さらに最初の18秒の映像については、文書などの付属的な記録も存在していなかった。つまり、音声も文書記録もない映像に、一方的なナレーションや説明が付けられ、あたかも「証拠」のようにデッチ上げられた可能性があったのだ。テキサス親父が、韓国側の主張を職員に伝え、「これは重大なミスか、捏造の疑いがあると理解していいか?」と聞いたところ、職員は「そう考えるしかないな」「何もないところに付け加えたのだから」と返事をした。ただ、その担当者によれば、最初の動画の中で慰安婦とされているのは、慰安婦なのは間違いないが、韓国人の慰安婦ではなく中国人の慰安婦が中国軍に捕らえられた場面とのことだった。

また、あとの19秒の映像も国立公文書記録管理局で調査したところ、無音声映像に、①日本兵の遺体から靴下などを奪う中国兵、②露天掘りの遺体は日本軍の兵士たち、――という解説が添付されていた。韓国側は「日本兵が殺した朝鮮人性奴隷たちだ」と主張していたが、これのどこが、慰安婦虐殺の証拠になるというのか。

米国国立公文書記録管理局で大東亜戦争当時の公文書をくまなくチェックするテキサス親父ことトニー・マラーノ氏（奥）と筆者（手前）。

米国国立公文書記録局で、目的の情報の1つを手にしたテキサス親父。

日本はこの映像に関し
「国際社会における責任」を取る必要があります
ORATEUR ONG
ONG

国連人権理事会で、ソウル大学とソウル市が捏造した慰安婦の証拠を基に日本政府の責任を追及する前田朗教授。

こういう嘘を、日本は延々と世界中にまき散らされてきたのだ。「日本人＝残虐」という印象を植え付けたい勢力が存在し、それに日本や海外の、特に白人国家のメディアが便乗しているという構図である。南京大虐殺問題も徴用工問題も手法は全く同じだ。

たとえば、赤ちゃんが横たわっている1枚の古いモノクロ写真があるとしよう。その写真の下に、「待望の男児誕生！」と書いてあったとしたら、それは、非常に微笑ましい写真になる。しかし、そこに「日本兵に無残に殺害された生後間もない赤ちゃん」と書いてあったらどうだろう。同じことが、日本を貶めたい勢力の1つの手法として、あちこちで使われているのだ。

また、同年、東京造形大学の前田朗教授は、このソウル市とソウル大学の嘘をわざわざ国連人権理事会にまで出向いて発表し、日本を叩く発言を行った。筆者が、すかさず国連の会議場内で前田教授に真意を質すと、まともな返答はなく、狼狽した様子を見せ、「私はそれが本当かと人権理事会に確認することを要求しに来た」と言っていた。彼のこれまでの何年にもわたる国連での日本叩き発言や活動を知っている筆者は、そのおかしなところを突いて、さらに踏み込んで、「何故、国連にその確認を要求するのか？　前田先生は学者なのに、何故ソウル大学に確認しないのか？　米国の一次資料に、ソウル市、ソウル大学、前田先生の言っていることと明確に異なることが記載されているのに、何故その証拠を無視するのか？」と質問し、議論を続けようとしたが、「そんな証拠に関して私は知らない」と逃げるだけであった。

国連内に事務所を構えるある日本のメディアの支局長と話をした際に、この前田教授に関して聞いてみると、「彼は我々が学生だった時に大学にいた、マルクス・レーニン主義にすっかり傾倒してしまっていた教授とソックリで、懐かしく思える」と言っていた。また、完全に左翼思想に染まった典型だとも話してくれた。

## 世界を蝕むポリティカル・コレクトネス

今、アメリカも日本も「ポリティカル・コレクトネス（Political Correctness）」に汚染されている。ポリティカル・コレクトネスをそのまま直訳すれば「政治的正当性」だが、筆者は「過度な政治的正当性」とか「政治的正当性の拡大解釈」などの翻訳を付けている。そうでもしなければ、日本ではその言葉からは本質が見えてこないからだ。

ポリティカル・コレクトネスが生まれたのはフランス、そしてヨーロッパからアメリカに伝わり、そしてより洗練されたものが日本へ流れてきたわけだ。日本がその終着点なのだ。それを日本の左翼が真似している。たとえば運動会で順位をつけない、あるいは男女同権を訴えるフェミニズムもその1つだ。男女差別をなくすために、看護婦と看護士の呼び名を廃止して「看護師」と呼ぶようになった。

アメリカではポリスマンは男女差別にあたるので、ポリスオフィサーとし、スチュワーデスをキャビンアテンダントとしている。さらには、黒板の意味のBlack Board（ブラック・ボード）も、政治的に正しくなく、黒人が嫌な思いをするということで、Chalk Board（チョーク・ボード）と言い換えられた。白人が牛乳を飲んでいると、それ自体が黒人差別だと殴られるという例もある。また、親指と人差し指で○を作り「オッケー」のサインを出すのも、政治的正当性に反する。何故なら、親指と人差し指を除いた3本の指はWhiteの頭文字の「W」に見える。それが、「白人は○」という意味になるからだそうだ。

多くの場合、これらを言い始めたのが、黒人ではなく、進歩的とされる白人であるという点が、前述の前田朗教授のケースなどともダブって見える。要するに一部の白人が、黒人を利用して政治的に対立する相手を叩く道具にしているわけだ。

歴史も文化も異なるところに、違う「規格」（ポリティカル・コレクトネス）が入り込んできて、混乱が再生産されている現状にある。従って我々は、この悪い流れを早いうちに断ち斬り、収束に導く方向で努力しなければならない。

テキサス親父は、今日本で起きている状況を「ポリティカル・コレクト・ジャパン」だと指摘する。テキサス親父が最初に「ポリティカル・コレクトネス」を紹介した時は、まだ日本にはそれを端的に示すまともな翻訳がなかった。10年ほど前のことだ。筆者が、それはどういうことなのかとテキサス親父に聞くと、数多くの例を挙げてしゃべってくれた。そして、その実態がようやく掴めた。

アメリカではどんなことが起きているのか。以下はテキサス親父の報告の一部である。

## リベラルのアメリカ破壊

「ポリティカル・コレクトネス」（PC）は、「人種や民族、性別、職業の違いによる差別、キリスト教以外の宗教などへの差別をなくそうという考え方は『政治的に正当である』」という意味で使われる。ところがアメリカでは近年、このＰＣが行き過ぎて、意味のない言葉狩りや、マイノリティ（少数派）保護と称した被害者ビジネス、個人中心主義が蔓延している。そのため、白人以外の人や女性、あるいは同性愛者のようなマイノリティに対して少しでも否定的な発言をすると、すぐに「差別だ！」と大きな批判を浴びることになる。これは政治家や著名人に限った話ではなく、一般人も同様だ。

確かに差別はよくない。だが、それが行き過ぎてしまっているから大問題なのだ。

ＰＣは70年代初頭に誕生したんだが、当時、まだ学生だった俺の学校でも瞬く間に広がった。俺は当初から、ＰＣのような考え方には疑問を持ち、学校で反対意見を述べていた。時には先生や同級生と論争になることもあった。当時はまだ反対意見を言うことができたんだ。

だが、今ではそれすら許されなくなってきた。もしＰＣを否定するようなことを言うと、「政治的に正当ではない（Politically Incorrect）」とされ、「お前が言ったことは俺に対する侮辱だ！」と厳しく批判されることになるんだ。誰だって批判なんかされたくないだろ？　だからアメリカでは、意見を言うことを恐れる人が増えてしまったんだ。

米国型リベラリズムやＰＣを蔓延させたのは、１９６０年代から70年代にかけてベトナム戦争に反対する活動を行っていたヒッピーたちだ。ヤツらは反旗を掲げると同時に、アメリカの伝統・文化に対する攻撃を始めた。はっきり言って、ヤツらはアメリカ解体を目論んでいるとんでもない連中だ。

世界を見渡せば、共産主義や社会主義が失敗していることは明らかだよな？　ところが、ヤツらは「失敗したのは指導者に問題があったからで、システム自体には問題なく、俺たちがやれば必ずうまくいく」と考えているんだぜ。

そして70年代初頭、ヤツらは社会に出て、政界やメディアや教育機関、あるいは環境保護団体や動物愛護団体に身を置き、活動を始めた。すると、アメリカはどんどんおかしな方向に進み始めたというわけだ。

リベラルの連中によるアメリカ破壊活動はとどまることを知らず、ヤツらは様々なものを標的にしている。キリスト教もその1つだ。米独立宣言（1776年）の冒頭には「全ての人間は生まれながらにして平等であり、その創造主によって、生命、自由、および幸福の追求を含む不可侵の権利を与えられている」と記され、合衆国憲法修正第1条は、信教の自由を保護している。アメリカ人は「自由」と「平等」を最も大切にし、それぞれの人種や宗教への敬意を持ち続けているはずだった。

ところが、アメリカでは最近、「キリスト教への見えない差別」が絶えないんだ。米連邦政府が公式に始めたわけではなく、リベラルの連中の「キリスト教などの宗教を肯定的に報道することは、政治的に正当ではない」という考えのもと、メディアやハリウッド（映画界）が主導している。もちろん背後には、リベラル派の巣窟・民主党の存在がある。オバマ大統領自身が、「人々はキリストの名の下に十字軍や宗教裁判など、ひどい行いを犯してきた」と、まるでキリスト教を否定するようなスピーチまでしていたほどだ。

日本人には信じられないかもしれないが、アメリカの大多数のテレビではクリスマスに「メリークリスマス」とは言わず、代わりに「シーズンズ・グリーティング」（季節のあいさつ）と言う。「ジングルベル」も流さない。まるで宗教を否定する共産主義国家みたいだ。テレビや映画には事実上、キリスト教を中傷し、あざ笑い、侮辱するような表現も多いんだ。

以前、ラジオのトーク番組を聴いていたら、司会者が、大西洋で何日間も漂流した男性について話していた。男性は漂流時のことについて、「聖書を隅から隅まで、何度も読んだ」と証言したんだ。聖書が、男性に生きる希望と勇気を与えたんだが、この漂流劇を報じた新聞記事には「聖書」という言葉は1つも出てこなかった。これを正しく報じていたのは、イギリスのメディアだった。

この背景には政教分離や、宗教絡みのテロもあるのだろう。でも、こんなことをしていたら、キリスト教に基づいたアメリカの伝統や文化は破壊され、アメリカ人の信仰や信条を否定することになるぜ。リベラル派は将来、アメリカ人に「インターナショナル」（社会主義者の革命歌）でも歌わせる気なのか？（トニー・マラーノ著『テキサス親父の大予言　日本は、世界の悪を撃退できる』産経新聞出版）

## 日本に流入する害毒を防げ

アメリカはすでにリベラルが主導するポリティカル・コレクトネスという病に蝕《むしば》まれている。だから、テキサス親父は、日本も「ポリコレ」に蝕まれ始めたことを危惧しているのだ。

「日本の皆さんには何度も警告していますね。アメリカから太平洋を越えて日本に入ってきているリベラリズムを防がなければなりません。1つしかゴールはありません。あなたの国や文化を壊すことです。それは彼らがアメリカでやったことです。

今、女性は常に男性と同じ成功を求めています。軍や警察などは男性のする仕事ですが、女性たちは男性と同じ仕事を求めています。女性は女性らしくすると教えられてきた日本の女性は、まさか男性の服を着なければならないとは考えていませんでした。しかし、今は女性が男性と同じ制服を着るようになりました。何故、女性が成功するために男性の格好をしなければならないのでしょうか。反対に何故、男性が成功するために女性の格好をしなければならないのですか」と、メッセージを発している。

日本の学校はもはやフェミニズムに毒されている。埼玉県や千葉県などでは、性別にかかわらずスカートかズボンの好きな方をはいてよいという学校が出てきた。ＬＧＢＴなど性的少数者への配慮がその理由だという。

また企業でも、２０１９年10月、ＪＲ東日本が男女とも制服を同じデザインに統一し、スカートやリボンネクタイは廃止することを発表した。東京オリンピック・パラリンピック開催を機に「社員が一体となってサービス向上に取り組むため」だと説明しているが、性の違いをなくすこうした危うい動きは今後、さらに広がっていくだろう。

ドイツでは２０１８年、男女の区別に適合しない「第３の性」を選択できる法案を可決した。「第３の性」を否定する政党「ドイツのための選択肢」（ＡｆＤ）は「性別は人間がうまれた時から決まった事実だ」と反発している。

また、イギリスでは２０１９年から、たとえば男性がくつろいでいる間に女性が掃除をしているような、「性別に基づく有害なステレオタイプ」の映像・画像を使った広告の使用が禁止された。

筆者は、自分の子どもが小学生の時に、校長先生が男の子を「太郎さん」と呼んだのを見て、違和感を覚えたことがあった。「何故、男は君ではないんですか」と尋ねると、「男女共同参画です」と言う。「そう呼ぶのは不自然だと思いませんか」とさらに聞くと、「教育委員会からのお達しです」と答えたのだ。すでに各段階での言い訳まで考えられているというわけだ。

男が男らしく、女は女らしくしなさいと言うのは今ではヘイトだというのだ。「性差別主義」なのだ。しかし、どう考えても男女には別々の身体的違いがある。男は子どもは産めない。しかし、そこに差がないというのがリベラリズム、ポリティカル・コレクトネスなのだ。

こうしたいびつな事例が世界各地で進行中だ。

スウェーデンにいたっては家族破壊法と言える法律がある。何かというと、子どもの前で両親がケンカをしているとそれをＤＶ（ドメスティック・バイオレンス）や児童虐待とし、子どもにとってよくないので、子どもの面倒は国がみるとして、親から子どもを引き離すというのだ。

普通の子供なら、「今のは、お父さんが言い過ぎたな。僕が大人になったらこんなことをしないようにすればケンカにならない」などと、小さいうちから考えることを学ぶはずだが、その機会すら奪っているのだ。

子どもの連れ去り問題と同じように、家族破壊が国家破壊の最初のステージなのだ。家族を破壊すれば国家は崩れる。家族は社会の最小単位なのだから。

フランスでは約70％の子どもが片親だ。お母さん側についた男の子が父親になると、ロールモデルがないので、何をして良いのか悪いのかわからなくなる。その逆、お父さんについていった女の子も同様だ。結果的に、極端な個人主義に陥ってしまう危険性があるのだ。しかし、日本の進歩的な政治家や評論家を見ていると、「フランスではこうしている」「欧米ではこうなっている」とあたかも、諸外国に比べ日本が劣っているような言論に利用する。こういう政治家や評論家は、実際には現地を知らないと言い切って良いと思うが、テレビなどのマスコミはこのような連中をテレビに出演させて国民を洗脳しているのだ。

## 権利の拡大だけが目的

筆者は国連に通い始めて、いつかはこの問題を取り上げなければならないと考えていた。日本国内のフェミニストによる過剰な「女性の権利」の主張を、国連の女子差別撤廃委員会などに持ち込む左翼NGOをいくつも見てきたためだ。リベラリストやフェミニストたちの要求はとどまることがなく、次々と権利の拡大のために活動を続けている。

何事も行き過ぎて歯止めがなくなると、様々な歪みが出てくる。そして、女性の権利が過剰に守られることや、リベラリズムの台頭により、逆の「男女差別」も生まれるようになっている。

これは、米国における白人と黒人の関係によく似ている。すでに「ブラック」という言葉を使うだけで「差別主義者」とされ、場合によっては矯正施設に送られるのだ。

痴漢にしても、女性が「痴漢だ」と言えば、99％の男性は有罪にされる。合意があった男女関係でも、女性側が後で「合意はなかった」と言えば、男性はたちまち逮捕され、職を失い、社会的信用を失い、家族を失い、さらに賠償金を支払うことになるのだ。

こうした行き過ぎた権利は、今では「被害者ビジネス」にもなっている。弱者が労働組合を作り、自分たちの権利を守ろうというのなら本来の意味での正当な活動だろう。しかし、それが利権化して、過剰な被害を装って金をとり、その金を使って国連で左翼たちが活動し、さらに多くの権利を奪い取ろうとしているのだ。

最近よく耳にするパワハラ。命令されたこと自体でも、パワハラになり得る。「お茶を入れて」と言うのもパワハラ。それは平等という意識が行き過ぎたための結果としか思えない。食い止めるところは食い止めなければならないというのに、国連がそれを代弁する機関になってしまった。

じつは女性の権利は、日本では昔から守られてきたのだ。しかし、調査機関が世界ランキングで、日本の女性の社会進出度が非常に低い、などの結果を出すと、それにマスコミが乗じて、これは大変だと騒ぎだす。何が大変なのか、日本には日本の歴史があるというのに、何故、世界スタンダードのようなわけのわからない尺度で日本をはかるのか、不思議だ。

左翼はこうした運動を、国連に約40年間通い続けて行ってきた。そして、周りを全て固めている。私たちが何か行動を起こそうとすると、必ずや法律や人の壁に当たるのだ。しかし、相手がいくら巨大でも放置しておくことはできない。

## 国連で勝てる英語力を

国連で彼らに勝つためには、何が必要なのだろうか。端的に言えば英語力であり、情報収集力であり、そして資金力である。

相手を打ち負かすための英語力、ディベート力は不可欠。英語がわからないと多文化が理解できない。だから最低限、英語が出来ることが必要だ。その点、国連で日本叩きを行っている左翼の弁護士たちや活動家の多くはきっちり勉強していて、ディベートできる英語力を身に付けている。

しかし、国連で英語が使える保守の人はあまり見当たらない。文書を翻訳することが出来る人は多い。ペーパーで日本語から英語に訳すとか、英語から日本語に訳すことが出来る人もたくさんいる。しかし、会話とディベートが出来ないのだ。これは私が国連で活動している中で感じる深刻な問題である。国連での戦いで不利になる要因の90％くらいを占めるのではないだろうか。

では、筆者はどのようにしてディベートに必要な英語力を身に付けたか、少しお話ししたいと思う。

まず、英語が上達するには、恥じることを恐れるな、文法はあとからついてくる、という考え方が重要だ。日本人は、従来、中学生になってから英語を習い始める。その授業の最初のほうで、それまで小学校までは聞き覚えのなかった「不定冠詞」や「関係代名詞」、「副詞節」などの言葉から覚えさせられて、教師たちは文法的に正しい完璧なものを教え込もうとする。

しかし、文法を教えるためのこれらの言葉の意味を覚える時点で、多くの生徒たちが、理解できずに脱落してしまうのだ。

居酒屋やバーなどで働く外国人は、半年ほど日本にいると、だいたいの会話が出来るようになる。彼らは必ずしも文法を理解しているわけではない。

たとえば、我々が普段、会話をしていて、相手の言うことを「今のところは文法が間違っていたな」などとは考えないだろう。小学校入学前の子どもは、字もほとんど書けないし、文法も知らない。けれど普通にしゃべっている。文法から入ろうとするのではなく、まず会話することが大切なのだ。

普通、会話では教科書に出てくるような「This is a pen」などの言い回しを使うことはない。

使うことのないような英語を学習するより、自分の回りにいつも実際に使われている英語があるという環境をつくることだ。そうすれば、おのずと生きた英語が耳に入ってくる。

筆者も自分をそのような環境に置くように心がけたものだ。中学生だった当時、父が青森県三沢市にある航空自衛隊とアメリカ空軍の合同基地である三沢基地にいたので、基地の中でアメリカ人の子どもと野球をしたりして遊んでいた。

ある時、一緒に野球をしていた米国人兵士の子どもがデッドボールを受けてもがき苦しんでいた。しかし、筆者はなんと声を掛けてよいのかわからずに右往左往し、ショックを受けたことがあった。こんな英語力ではだめだ、友だちを慰めることすらできないと思い、それから英語を学ぼうと決意したのだ。

私たち大人は間違えることを極端に怖がる。しかし、子どもは違う。恥ずかしいという思いを払拭することが大切なのだ。従来の日本の教育では、失敗してはならないと叩き込まれるが、言葉なんて失敗しながら覚えるのだ。

少々、話は横道にそれるが、英語を勉強したのは、これだけの理由ではない。筆者が通っていた青森県立三沢第一中学校の当時の数学の先生が「青森弁」だったために、何を言っているのかほとんど理解できず、なかなか点数がとれなかったのだ。訛りのない先生たちが教える数学以外の教科を勉強して数学の低い点数の穴埋めをせざるを得ないという理由もあった。おかげで、英語の弁論大会の代表に選ばれて、あちこちの大会に出場していた（笑）。

英語が使えるために、会社を立ち上げて以来30年間、海外との取引は英語を使って行ってきた。そこで一つ一つ覚えた実務が、ディベート力につながったのも事実だ。会社を経営して貿易を行っているからには死活問題だからだ。たとえばビジネスで、相手を怒りたいのだが、なんて怒ったらいいのか分からない。表現の仕方が難しい。それをどうクリアするか。今はYouTubeがあるので、これから英語を勉強しようと考えている方には、それがとてもいい教材になると思う。様々なレベルの動画が数多く存在しているので、とにかく言い回しを徹底的に聞いて頭に叩き込むことだ。

会話に出てくる内容というのは、ほとんどが決まったフレーズばかりなのだ。「あしたは忙しい」「今日は久々に友だちに会った」「お腹がすいた」など、いずれも似たようなパターンである。それらを優先的に覚えればよいのだ。

英語を学問として学ぼうとしたら難しいだろう。だから音楽を聴いたり、英語の映画を観たりするのもよいと思う。映画の中では、様々な人が話す。早口だったりゆっくりだったり、老人だったり大人だったり子どもだったり。最初はゆっくりしゃべっているところだけ分かればいい。

逆にニュース英語は単調で、会話調ではない。学び始めるステージではあまり効果的ではないかもしれない。

ビジネスに出てくる専門単語は限られている。ビジネスにおいては、その単語さえ追加でマスターすればよいのだ。それと同様、国連でも「国連用語」とでも言うべきものがある。普段の生活では使わないような、「議会用語」とでも言えばいいのだろうか。まずはそれを地道に一つ一つ勉強してきた。


**【藤木流英会話教室】**


筆者は、社会人相手に数年間、英会話教室を行っていたことがある。ある地元の不動産会社の社長から頼まれてのことだった。接待で顧客をアメリカやタイなどにゴルフをしに連れて行くが、その時に誰も英語がわからないのでは困るからという理由からだった。たいていの日本人は、かなりの数の英単語を知っていて、無意識に日本語に混ぜて使っている。おそらく、最低でも500個ほどの単語は知っているはずだ。

これらの知っている単語を駆使して勉強するのが、筆者の英会話教室の特徴だ。

特に、すでに知っている単語の発音が正しいのか？　その単語について、自分が理解している意味は正しいのか？　この2点に的を絞って、重点的に勉強する。

たとえば、〝smart〟（スマート）という単語。あの人スマートだよね、と言うと、たいていの日本人は「やせている」と理解している。しかし、実際の意味は、「賢い」なのだ。

みなさんは、次の単語を知っているだろうか？

〝up〟〝to〟〝you〟

それぞれに〝上〟〝～へ〟〝あなた〟と、ほとんどの方が完璧に答えると思う。大正解。しかし、これがつながってup to youになった場合はどうだろう？

ここで、わからなくなる。

up to youは、「あなた次第」という意味である。

depend on you（あなたにお任せします）も意味は似ている。

何食べたい？　あなたが決めてよ！　のこの「あなたが決めてよ！」というのもup to youで良いのだ。

文法は、「過去形」「現在形」「未来形」以外は、ほとんど使わない。勉強しない訳ではないのだが。

そして、新しい単語もほとんど必要なし。あくまでも、知っている単語の組み合わせでしゃべれるようになることが目的だ。

自分が言いたい文章をもっと簡単な日本語に置き換えられないか、ということも勉強する。意味が同じであれば通じるのだから、まず、日本語をシンプルにしてから、英語に変えるのだ。

このクセを付ければ、自然に簡単な単語の組み合わせで、意志が伝えられるようになる。

あとは、日本人が苦手だとされるRとLの発音の違いだが、これも決して難しいことではない。

「R」で始まる単語の場合、単純に発音する時に小さな「ゥ」を短くアタマに入れれば良いだけである。「L」で始まる場合は、そのまま発音してほしい。

たとえば、Right（右）とLight（軽い）

初めのRightを発音する時は、「ゥライトゥ」と発音する。この場合、「ゥ」をハッキリ発音しないことだ。

Lightの場合は、普通に口を大きく開けて「ライトゥ」と発音する。（いずれも最後のゥは、無声音）。たったこれだけのことができていないだけで、通じにくくなっているのだ。

中学校、高校の6年間で習った単語の半分くらいで、日常会話程度であれば問題なくこなせるはずだ。ぜひ、頑張ってほしい。

最後にもう1つだけ追加しよう。「私は、車を運転したい」は英語でどう言うか、と社会人に聞くと、ほとんど、完璧な答えが返ってくる。

そう、I want to drive a car. で正解。

ところが、「私はあなたに車を運転してほしい」って英語でどう言うか、と聞くと、この時点で、多くの方が「う〜ん」となるのだ。勿論、正確にお答えになる方も、沢山いらっしゃるが。

答えは、初めの「私は、車の運転をしたい」に〝you〟という単語を1個入れるだけ。正解は、

I want you to drive a car.

ここに1語入っただけで、こんなに意味が変わるのだ。

こんな風に、難しい単語をほとんど使わずに気軽に、気楽に教えることを心がけている。

## 同志よ、集まれ

国連で勝つために、もう1つ必要なことはアンテナを張り巡らせることだ。大切なのは情報である。相手がどんな動きをして、誰が何を言って、どこで何が起きているかを全て、知っておかなければならない。そして、国連で起きていることを、いち早く日本国内の学者や活動家の仲間たちに伝えることが重要なのだ。そのためにも、現場で記録したものを動画にしてアップしたり、文章にして日本に届ける必要がある。これによって、即座に対応を検討することが可能になるの

だ。

情報を得るには足で稼ぐしかない。このため、極力、多くの人と知り合いになり、少しでも情報を取ってくることだ。

筆者たちよりはるかに長く国連に通っている外国の保守系の団体が数多くあり、彼らの持っている情報には貴重なものがたくさんある。たとえば、反中国で横のつながりがある団体から得る情報はとても重要だ。

ある時、中国とインドの軍が合同演習をするという情報が入り、これはどうなっているのかと、関係者が筆者のところに聞きにきた。

合同演習をやった場合には、どちらかが受益者になり、どちらかが情報・技術提供者になる。今の軍事力ではインドのほうが劣っており、軍事予算も中国の25％程度なので、インドはある意味で受益者だ。だから心配することはない、というアドバイスを相手に送った。

表面だけ見れば、インドと中国が接近しているように見えるが、国境を接しているので中国も下手なことはできない。一緒にトレーニングすることによって、インドが中国から得られるものはたくさんあるだろうが、中国にはインドから得られるものはあまりないと考えられる。

しかし、中国政府から弾圧されている少数民族の人にとっては、気になって仕方がない。パキ

スイス記者クラブでバローチスタン問題に関する記者会見で発言する筆者。

スタンのバローチスタン州のバローチ人たちなどは「一帯一路構想」のせいで、パキスタンと中国政府の両方から弾圧を受けている。追いやられて殺害されたり、強制収容所に入れられたりしている。この人たちからすれば、中国に対抗しているインドは頼みの綱だ。だから何とかインドにバックアップしてほしいと考えているのだ。

中国とインドは、戦争の危険性を回避するためには仲良くしておいたほうがいい。だからといって、インドが中国になびくようなことはあり得ないだろう。こうした分析を互いにしながら、意見を交換するわけだ。

国連での情報戦においては資金力も重要だ。翻訳できる人、動画を編集できる人、字幕を貼れる人、英語がしゃべれる人、それだけで最低4人が必要になる。

しかし、資金がないなかでやっているので、ビデオ撮影も翻訳も字幕も筆者1人で全てをこなさなくてはならない。だから、国連に通っている時は、ほとんどぐっすり寝ることもできない。さらに、その日の分析をする必要もあるし、日本にレポートを送らなければならない。

そこに、人権理事会に行きたい人への案内業務も加わる。国連のツアー案内やサイド・イベントの準備、報告書の作成、現地でのレンタカー調達や宿泊施設の手配――。さらに1日のスケジュールを作ったり、発言する人のスピーチ原稿を翻訳したり、その場でスピーチ原稿を変更したり、スピーチの発音のレッスンをしたりと、現状では、それをほぼ1人でやっている状況だ。

国連には世界中からマスコミがたくさん入っている。そして、それらマスコミからもたらされる裏の情報は価値が大きい。マスコミに筆者たちの運動を理解してもらい、情報をいかに世界に拡散できるかも重要になる。

何かと騒ぎ立てる左翼は、ある面で政府にとっては面倒くさい存在であろう。だから、政府の役人も、彼らに会って話を聞いて、騒ぎ立てられないようにするのだ。言わば懐柔。それ故、こちらはある程度、騒ぎ立てる必要があるとも言えるだろう。勿論、常識の範囲内での話だが。政府の言う通りにやっていても、歴史が示すように全く先には進まないどころか、場合によっては後退してしまうのだ。

その場で、左翼の嘘に対して、きちんと反論できる人材があと数名いれば、非常に心強いのだが、現在のところ筆者がこの役目を背負い込んでいるというのが実情だ。

国連で、左翼に対するカウンターの役目を果たせる条件としては、英語でディベートができて、歴史問題やその他の社会問題に関心を持ち、それにある程度、精通していること。さらに日本を2週間から1カ月、年間最低3回空けることができて、資金的にも潤沢な人材に限られる。

ハードルは非常に高いのだが、我こそは、と思う方は、是非、一緒に参加していただきたいと思う。

第三章

# 「強請たかり」の国、韓国

第三章のタイトルに、「韓国」と書いたが、それは韓国政府のことであり、韓国人という集合体ではないことを、あらかじめ申し述べておく。また、筆者は一般的に言われる「嫌韓」でもない。何故なら筆者は、ビジネスで約30年にわたる韓国との付き合いもあり、多くの善良な韓国人たちがいることを知っているからだ。

## 学者としての矜持を示す李宇衍氏

筆者の国連での活動は、自らも発言をしたり意見書等を書いたり、サイド・イベントを企画開催したり、協力関係にある諸外国のNGOの会合等で話したりするだけではない。筆者が扱う問題の専門家を国連に招聘し、詳細について話していただくのも、活動の中の重要な部分である。

2019年7月、韓国の落星台経済研究所の李宇衍《イウヨン》研究員が国連人権理事会で、次のように発言した。

「韓日の関係は過去になかったほどの危機に直面しています。これは現在、問題になっている戦時における朝鮮人労働者（徴用工）に起因します。政府の『朝鮮人労働者は誘拐されて強制的に奴隷のように働かされた』という馬鹿げた思い込みによるものです。しかし、多くの朝鮮人たちは『自らの意思』で日本に行ったのです。そして『徴用』は完全に法に則った手続きを経て行われました。給料は全ての労働者に対して日本人も朝鮮人も関係なく、公平に支払われておりました。給料は非常に高額でした。そして戦時の朝鮮人労働者たちは自由で気楽に暮らしていました。

歴史を誇張し歪曲している韓国と日本の学者たちや政治家たちは、そのような議論をすぐにやめるべきです。我々は人権理事会が韓国政府に対して次のように勧告するよう要請します。①韓国政府はこの歴史に関する問題を出処がわからない歪曲された証拠に基づくのではなく、一次証拠をもとにして調査するべきである。②韓国政府は韓日関係が破綻する前に問題解決のために日本政府に協力するべきである」

筆者はこれまで、いわゆる徴用工問題を国連でどうにかしたいと考えていた。そんなことを考えながら、ネットで調べていたら、ある論文を見つけたのだ。

驚いた。その論文の筆者、李宇衍さんは長崎県の軍艦島だけでなく、北海道などの炭鉱の資料を全部集めて、本当に朝鮮人労働者と日本人労働者との間に賃金格差があったのか、朝鮮人のほうが日本人より給料がよかった炭鉱があるが、何故なのかをきちんと調べていたのだ。さらに、炭鉱では朝鮮人がたくさん死んでいる、それは日本人が危険なところで働かせたからだと（韓国の活動家等は）言っているが、実際のところは、日本人男性のほとんどが徴兵され、残っていたのは朝鮮人であり、経験の浅い労働者が多かったために、粉塵爆発などが起きて多くの人が犠牲になった――そうした内容が書かれていたのだ。

そこで、すぐさま彼に連絡して、「今、日韓関係が非常に良くない。本来は連携して共産主義に対抗していかなければならないのに、韓国は北朝鮮の言いなりになっている。あなたの研究論文を読ませてもらったので、その内容を、ぜひ国連で発言してほしい」と依頼した。

そして、承諾の返事をもらい、一緒に国連に乗り込んだのだ。

その国連での発言が冒頭のものである。さらに、国連のサイド・イベントでも、李宇衍さんは、日本人と韓国人とがいかに仲良くしていたか、状況を詳しく説明した(=発言は別掲)。

李宇衍さんは1966年生まれで、韓国全羅南道の光州出身、成均館大学を卒業した経済学博士で、米ハーバード大学研究員、九州大学客員教授を歴任し、2006年に落星台経済研究所研究委員になった。

彼は反日、親日という立場でものを言っているわけではない。学者としての誇りをもっているので、あくまでそれが正しいことかどうかに立脚した上で発言する。

李宇衍さんの先輩であるソウル大学教授を務めた李栄薫《イヨンフン》氏(韓国経済史)や、落星台経済研究所を創設したソウル大学名誉教授の安秉直《アンビョンジク》氏(韓国経済史)らも同様に、慰安婦問題で殴られたり暴行を受けたりしている。たとえば、李栄薫さんは「慰安婦は売春婦だ」と言って殴られて血

国連内で徴用工問題に関するサイドイベントを開催。左から筆者、李宇衍博士、松木國俊氏。

だらけになった先生。安秉直さんは、韓国挺身隊問題対策協議会（＝挺対協。現在は日本軍性奴隷制問題解決のための正義記憶連帯＝正義連）で3年間、慰安婦問題を調べていた。しかし、「この団体は慰安婦問題を終わらせようとか終結させようとしているわけではない。これをエサにしている団体だ」と批判して、挺対協から離れたが、やはり殴られて血だらけになった先生なのだ。

彼らが発言するのは、このままでは韓国が危ない、いい加減な歴史観を持ち続けていたら、韓国自体が取り残されてしまう、ということを危惧しているからだ。

李宇衍さんの国連でのサイド・イベントには、スパイが潜り込んでいた。そのスパイは、李さんの発言をパソコンに打ち込み、次々と送信していた。イベントが終わった直後には、李さんのところに「殺害予告」が来ているというような状況だった。

李さんが韓国に戻ると、早速、嫌がらせが相次いだ。暴行を受けて唾を吐きかけられ、人糞をまかれるなど大変な目に遭った。最近では慰安婦像をつくっている夫婦から民事と刑事で訴えられた。民事においては6000万ウォン（約600万円）の損害賠償を支払えというもので、刑事は名誉棄損。李さんが、徴用工像のモデルは日本人で朝鮮人ではないと言ったら、それが名誉棄損だというわけだ。加えて徴用された人たちに対する冒涜《ぼうとく》であるとして訴えられている。

李さんは、ソウルの日本大使館前で毎週、水曜日に開かれている慰安婦問題に対する抗議集会に対抗し、この集会の中止と大使館前に設置された慰安婦像の撤去を求める活動を続けている。彼に反発する市民らは罵声を浴びせ、暴力に訴える行為に及んでいるが、李さんはあくまで「ゆがんだ歴史観を批判し、歴史の事実を示す」という信念を貫いている。

## 韓国最高裁の不当判決

ここで徴用工問題の韓国最高裁判所による判決がいかに不当なものであるか、我々の考えを述べることにしよう。以下は、2019年3月に国連人権委員会に提出した意見書である。

いわゆる徴用工問題は2018年10月、韓国の大法院（最高裁判所）が、第二次大戦中に朝鮮人を強制労働させたとして、日本の代表的製鉄会社である新日鉄住金に対して、被害者への賠償を命じる判決を下したことでクローズアップされた。続いて同年11月には、三菱重工業に対しても同様の判決を下した。

韓国最高裁の判決理由は「日本による朝鮮半島統治は不法な植民地支配であり、その植民地支配に協力した日本企業による強制動員も不法である。不法に強制動員された被害者には個人的に慰謝料の請求権が残されている」というものだ。

しかしながら、この判決理由は歴史的事実を大きく歪曲している。

「日韓併合」はイングランドとスコットランドの「併合」と同様の「国家併合」であり、日本が宗主国として朝鮮半島を植民地支配したものではない。「日韓併合」によって朝鮮の人々は日本国民となり、彼らに日本人と同じ権利と義務が生じたのが歴史的事実である。

さらに、戦時における「徴用」は、労働問題を律する国際法である国際労働機関（ＩＬＯ）の強制労働に関する条約（日本は1932年11月に批准）に抵触するものではない。日本人に対する徴用は1939年に発動され、朝鮮人に対しては5年遅れて1944年9月に発動された。

日本国民である彼らを徴用することは、国内法及び国際法に照らしても全く問題はなく合法である。朝鮮人が「強制労働の被害者」であれば、同様に徴用令によって職場を転換させられた全ての日本人も「強制労働の被害者」となり、国家に対する慰謝料請求権が発生するはずだが、「徴用」が合法であるがゆえに、そのような訴訟は1件たりとも日本人によって起こされた例がない。

では、韓国最高裁の認識が完全に間違っていることを証明するために、当時の実態をここで明らかにしたいと思う。

1910年に「日韓併合」が行われて以来、安い労働力が日本本土に流れ込むことを防ぐために、朝鮮半島から日本本土への出稼ぎは厳しく制限されていた。ところが、1937年に日中戦争が勃発し、多くの日本人男性が戦地へ赴いたことから国内の基幹産業において人手不足を来したため、朝鮮人労働者の日本本土への渡航制限を緩和することとなり、1939年から「自由募集制度」が導入されたのだ。

この制度によって、各企業の採用担当者が朝鮮半島に出向き、直接、就職希望者を募集することが可能になり、この制度を利用して日本へ渡航する場合、渡航手続きも簡素化された。ただし、「危険な作業をさせられる」という噂のある炭鉱会社などへの応募者は少なかったという。

第二次大戦が始まると、炭鉱などではさらに人手不足が深刻になったため、1942年に「官斡旋」という制度がスタートする。これは、朝鮮の行政組織を通して労働者を募集する制度であり、その目的は派遣先での給与や待遇について官公庁が責任を持つことで、安心して応募できるようにしたものである。

炭鉱での作業は、機械化が進み落盤などの危険性が低くなっていることも官公庁を通して説明され、炭鉱会社への就職希望者も増加した。この制度では希望者は家族が同伴することも可能だった。

さらに、第二次大戦末期にはあらゆる産業で人手不足となり、1944年9月に、それまで朝鮮半島に対しては猶予されていた「徴用」が発令され、その後半年間のみ実施されたのだ。

次に、日本で働いた朝鮮人労働者の実態について見てみよう。1944年11月に徴用され、広島の東洋工業（現マツダ）で働いた鄭忠海《チョンチュンヘ》は、自叙伝『朝鮮人徴用工の手記』の中で、1945年5月時点において、朝鮮人徴用工たちが毎晩宿舎でパーティーを開き、博打《ばくち》までやっていたことを証言している。

この手記によれば、鄭忠海の給料は140円であり、これは当時の学校教員や役所の職員の給与を上回っていた。さらに終戦時、彼は寮生全員を代表して寮の日本人舎監長や世話になった日本の人々に感謝の挨拶をして、別れを惜しみながら会社の手配した船で韓国へ帰国している。この手記には、朝鮮人に対する差別や虐待などどこにも見当たらない。

　また、炭坑のような厳しい環境で働く作業者の給与は極めて高く、１９４４年に九州の炭鉱で支払われた賃金は、各種手当を含めて月収で１５０円～１８０円、さらに、勤務成績のよいものは２００円～３００円。３００円といえば、当時の軍隊では大佐クラスの給与に匹敵する額だ。

　当時の炭鉱での賃金算定は、作業習熟度や出炭量などを基に厳格に計算されており、日本人と朝鮮人の間に賃金上の差別は全くなかった。また、稼いだお金は朝鮮へ確実に送金されてもいた。

　ある炭鉱会社の人事担当者だった人物は次のように証言している（『証言朝鮮人強制連行』金《キム》賛汀《チャンジョン》より）。

「仕送りは会社のほうで強制的にやらせました。当時50円から80円位まででした。毎月50円送金されると仔牛1頭毎月買える勘定になります。牛20頭持てば『両班《ヤンバン》』いわゆる金持ちなんですよ」

　さらにこの人事担当者は、事故死した朝鮮人坑夫には、２５００円から３０００円という手厚い弔慰金が支払われていたことも証言している。当時１０００円あれば、小さい家なら1軒買える金額である。

　このような高賃金を目指して、戦前・戦中に渡航資格のない多くの朝鮮の青壮年が内地に密航している。昭和14年から17年の4年間だけでも1万9200人の密航者が発覚しているのだ。

もし、日本が朝鮮半島から無理やり人を引っ張ってきて酷使したのが事実なら、密航者を見つければすぐに炭鉱に放り込んだはずだ。ところが、彼らは「渡航法違反」として朝鮮に強制送還された。法治国家である日本として当然である。当時の朝鮮人労働者の実態は以上の通りであり、日本政府や日本企業に何ら責められるべき点はない。

日韓両国は国交を回復するための交渉を1952年に開始したが、当初は双方の主張に大きな隔たりがあった。その後、両国は7次にわたる政府間協議を通して智慧を出しあい、歩み寄った結果、1965年6月に日韓基本条約及びその付随協定を締結し、国交回復が実現した。日韓間の請求権問題は、この付随協定の1つである「日韓請求権・経済協力協定」によって、個人の請求権も含めて「完全かつ最終的」に解決したことを両国政府が確認している。

この協定によって、日本側は戦後朝鮮半島に残した日本人民間資産（現在の価値に直して16.6兆円）を放棄し、さらに無償援助3億ドル、有償援助2億ドル、合計5億ドルを韓国側へ供与することが取り決められ、実行された。1965年度の韓国の国家予算は3億5000万ドル。つまり、国家予算1・4年分もの金額である。

この交渉の過程で、日本政府は戦前・戦中に日本の官公庁や企業などで働いていた朝鮮の人々に対して、給料の未払い分や年金の支払いなど、個人的に補償を行うことを韓国政府に申し入れていたことは当時の外交文書からも明らかだ。

しかしながら、韓国政府は「個人への補償は韓国政府の責任において行う、従って日本からの援助金は全て韓国政府が一括して受け取る」と主張して譲らず、最終的に日本政府も韓国政府の意向を受け入れて、個人への保証分も含めて韓国政府に一括して援助金を支払ったのである。

韓国政府は、日本からの援助金を同国のインフラ整備や産業近代化に振り向け、国家全体の経済力を高めることに努めた。これによって戦後の韓国の経済発展への道が開けたことは、周知の事実である。

経済がある程度発展し、国家の財政に余裕が生じた１９７４年12月に、韓国政府は「対日民間請求権補償に関する法律」を制定し、被徴用者に対する補償を実施した。韓国政府が、１９７６年に発行した「請求権資金白書」によれば、１９７６年４月30日現在、95億２０００万ウォン（当時の１９８０万ドル）が支給されており、この中には「被徴用韓国人未収金」「戦争による被徴用者の被害に対する補償」「被徴用者の日本政府に請求すべき恩給」なども全て含まれている（韓国では「自由募集」「官斡旋」までも強制動員と見なし「被徴用者」と規定）。

さらに、盧《ノ》武《ム》鉉《ヒョン》政権も２００５年８月に「韓日請求権協定の法律的効力範囲に関する韓国政府の立場」を発表し、その中で「日本から受け取った無償3億ドルには強制動員被害問題解決の性格の資金等が包括的に勘案されている」と明記している。

盧武鉉政権はこの見解にもとづいて、2015年までに元徴用工やその遺族7万2631人に対して慰労金を支払い、その総額は6200億ウォン（約6億ドル）。これで徴用工問題の処理は国内的にも全て完了している。

このように、徴用工問題は外交的にも国内に置いても既に完全に解決したものであるにもかかわらず、韓国最高裁は日本企業に対する賠償を命令する判決を下したのだ。

今回の判決を受けて、勝訴した原告は既に日本企業の資産差し押さえ手続きを完了した。韓国では、約270社の日本企業が「戦犯企業」と見なされており、今後新たに日本企業相手の訴訟が続々と起こされることが予想され、訴訟総額は最終的に2兆円にのぼるとの試算もある。さらに、韓国最高裁の「不法な植民地支配」という主張が正当化されるなら、日本統治時代の日本人によるあらゆる行為が訴訟の対象となり、訴訟額は天文学的数字となって、両国間の争いは果てしなく続くことになるだろう。

例え国家間で戦争があっても、講和条約締結によって過去を全て清算し、恩讐を超えて未来志向的関係を打ち立てることが、人類が長い歴史を通して獲得した智慧であり、そのために国際法も整備されている。

しかしながら、今回の判決は、歴史的事実を無視あるいは歪曲した独善的な歴史観に基づいて、日韓間の正式条約によって完全に解決した「請求権問題」を一方的に蒸し返している。近代国家ではありえない判決であり、明らかに人類の進歩に逆行していると言わざるを得ない。

韓国政府も「司法の判断を尊重する」として判決を実質的に支持しているが、国家間の合意は3権（司法、立法、行政）を超越して国家を拘束するものであり、「条約法に関するウィーン条約」にもそのことが明記されている。司法の勝手な判断によって、国家が対外的に負っている国際的な義務を免除されるのだとすれば、国際法も国際秩序も成り立たない。

にもかかわらず、解決済みの請求権問題を何の躊躇もなく蒸し返してくるのは、韓国政府も司法当局も、相手が日本であれば国際法に従う必要がないと考えているからだろう。これは、日本国民に対する許しがたい侮辱であり、日本人の人権を踏みにじる行為である。

戦後両国が築き上げてきた日韓間の正常な関係が根幹から崩れるばかりか、戦後の世界秩序に大きな混乱を招来することになる。

我々は、恒久的世界平和を実現するためにも、国連人権理事会に対し、韓国政府や司法当局が日本国民に対してのみ国際法を適用せず、同国の最高裁が下した不当な判決を押し付けて、日本人の人権を踏みにじっている現状を即刻改め、近代国家として国際法に準拠した行動をとるよう、韓国政府に勧告することをここに要請するものである。

【参考資料】

## 李宇衍氏によるサイド・イベントでの講演内容

２０１８年10月30日、戦時期、日本に動員された朝鮮人を雇用した日本企業を対象として、韓国の関係者らが起こした損害賠償請求訴訟で、韓国最高裁判所は、日本企業が韓国人らに慰謝料を支払わなければならないと判決を下しました。

韓国政府も最高裁の判決を支持しています。その結果、日本人の権利が多く侵害される可能性が高くなりました。また、日本政府の対応によっては、韓国人の権利が大きく損なわれる可能性もあります。こうした問題が発生したのは、韓国の司法府と行政府が戦時期労務動員に対する歴史的真実を正しく把握していないからです。

(I) 朝鮮人の労務動員は「強制連行」あるいは「奴隷狩り」ではなく「自発的意思」または「徴用」という法律的手続きによるものでした。

朝鮮人の労務動員は、1939年9月に公布された国家総動員法によって、日本本土における徴用の実施とともに始まりました。それ以来1945年3~4月まで約72万5000人の朝鮮人が戦時下における労働力充足のため日本に移ったのです。

日本本土とは違って朝鮮では「募集」という形式で朝鮮人労働者の労務動員が始まりました。労働力が必要な企業は、職員を朝鮮に直接派遣して応募者を選抜したのです。「募集」による朝鮮人の労務動員は1942年2月頃まで行われ、約30万の朝鮮人が「募集」という形で日本に移ったと推定されます。

1942年3月から1944年9月まで労務動員は「官斡旋」という形でした。日本本土の企業が必要とする適切な朝鮮人労働力を、より効率的に動員するため、朝鮮総督府が民間の職業紹介所のような役割を担う方式でした。こうした形で約35万人の朝鮮人が日本に移りました。

「募集」と「官斡旋」による朝鮮人動員の本質は、本人の自発的意思による移動でした。法律的に強制力のある「徴用」が朝鮮で発動されたのは、日本本土より約5年1カ月遅れた1944年10月以降です。徴用に応じなければ「100円以下の罰金または1年以下の懲役」でした。当時日本国民であった朝鮮人に徴用令が適用されたのは国際法上も合法であり、無計画の恣意的かつ暴力的な「強制連行」ではなかったのです。労務動員が行われた約65カ月のうち、徴用は約6カ月間でした。しかも徴用によって日本に行った朝鮮人は約10万人以下であると推定されます。

戦時労務動員と関係なく1939年から1945年まで約155万人の朝鮮人が日本における高い賃金を求めて渡航しています。合法的な渡航が不可能な場合、朝鮮人は大金と命をかけて小船を利用して密航を図りました。こうした状況下で朝鮮人労務者を「強制連行」して日本に連れて行く必要はありませんでした。「強制連行」や「奴隷狩り」による労務動員は有り得ないことで、実際にもなかったのです。

(II) 朝鮮人の労働は民族的差別に強いられた「強制労働」または「奴隷労働」ではなく、通常の労働または日本人と同じ条件で行われた戦時労働。

(i)朝鮮人と日本人は同一の環境で労働した。

朝鮮人を差別して意図的に危険かつ辛い作業場に配置したという主張があります。しかし、これは事実ではありません。該当する朝鮮人は、日本人と一緒に作業したことを証言しています。1930年代、炭鉱では機械化が急速に進展していました。ここでは1人用機械式ドリルから大型コンベヤまで機械が広汎に使用されました。しかし、朝鮮人の契約期間は2年であり、契約期間が満了すれば、ほとんどが朝鮮に戻りました。

彼らのほとんどは無学であり、作業経験2年では機械を操作できる技術を獲得し得ませんでした。また、ダイナマイトなどを一般的に使用している状況の中で一定の区域を、経験の浅い朝鮮人だけが担当すれば、炭坑で働く全体の炭鉱夫を危険にさらすことになります。したがって熟練した日本人と未熟練の朝鮮人を1つの作業班に編成しなければならなかったのです。朝鮮人は日本人と同様の作業環境で労働したのです。

②賃金は正常的に支払われた。

賃金は労働者への待遇で最も重要な事項です。日本に動員された朝鮮人に対して賃金は正常に支払われていました。これは1944年9月以降の徴用でも同様でした。徴用された朝鮮人には国の社会保障制度が適用されました。彼らの賃金レベルは非常に高く、1940年に日本で働いた朝鮮人炭鉱夫の月収は朝鮮にいる銀行員の2・4倍、綿織工の5・2倍でした。1944年の日本における男性の初任給に比較すると、大卒事務職と巡査についてもそれぞれ2・2倍と3・7倍でした。朝鮮人労働者の賃金は非常に高かったが、その全てが現金で手渡されていた訳ではありません。

第二次世界大戦参戦国は戦争経費によって大規模な財政赤字を抱えていました。日本は増発した貨幣を強制貯蓄により回収することによりインフレを抑制しました。強制貯蓄は全ての労働者に適用されました。

朝鮮人の場合、月々の収入の50％以上が強制貯金や食事代などで控除されており、残額が彼らの手に渡されました。朝鮮人労働者に渡された金額が、扶養家族が多い日本人に比べて少額だったことが誤解を招いたのです。

朝鮮人の経済観念は明確であり、彼らは契約終了とともに貯蓄と各種積立金を正常に回収しています。もし送金問題が発生したとすれば、家族は朝鮮の行政機関にその事実を通知できました。また企業も労働力を持続的に確保するためには、送金事故を直ちに解決しなければなりませんでした。正常な給与支給体制によって、多くの朝鮮人が負債を清算して農地を購入するなど、家庭経済を成長させることができたのです。

１９４５年８月15日前後の例外的な混乱期を除けば、賃金は正常的に支給されていました。

③賃金や処遇における民族差別はなかった。

炭鉱労働の賃金は成果給体系によって算定されており、当時の記録を見ると日本人より高い賃金を受け取った朝鮮人も多くいました。

１９４２年、北海道のある炭鉱では、月給50円以下だった者がそこで働いていた朝鮮人全体の75％を占めていましたが、日本人は17・６％に過ぎませんでした。しかし、朝鮮人の勤続期間は、２年以下が全体の89・４％でしたが、日本人の場合は42・８％でした。また、３年以上の経歴を持つ朝鮮人は1人もいなかったのに対し、日本人の45・8％は3年以上の経歴を持っていました。賃金格差とは民族差別ではなく練度と経歴の差異から生じたことがわかります。

朝鮮人にとって最大の不満は食事の問題でした。しかしそれは供給された食事は日本人と同量でありながら、食習慣において朝鮮人の食事の量がより多かったからです。

作業時間以外の日常生活は自由でした。作業終了後や月2回の休日になると、朝鮮人は市街地にくり出し、外食や飲酒を楽しんで記念写真を撮ったりしました。大規模事業体の周辺には朝鮮人女性たちがいる朝鮮人向けの「特別慰安所」がありました。

日本企業の立場からすれば、朝鮮人を差別したり、「強制労働」または「奴隷労働」を強いて、虐待するのは反発が生じるだけであり、貴重な労働力を非効率的に扱う非合理的な行為です。「総力戦」を展開する日本政府もそのような行為を厳しく取り締まりました。行政・警察組織は、朝鮮人を雇用する企業を管理・監督していたのです。

要約すると、朝鮮人の労務動員は、「強制連行」や「奴隷狩り」ではなく、自発的意思や徴用という法律的手続きによって行われたものであり、戦時動員体制のもとで日本人と等しい戦時労働を行っただけです。

以上の事情から国連人権理事会は、韓国政府に対して日韓併合時の朝鮮人の労務動員に関する歴史的な真実に注目し、１９６５年の2国間国際協定である「日韓請求権協定」を遵守するよう勧告して下さい。これは、韓国および、日本の将来の発展的関係を促進する重要なことです。

## 問題の本質は韓国にある

徴用工問題に加えて慰安婦問題でも、韓国は日本に責任を負わせ、自分たちは人権侵害の被害者であると国際社会に高らかに訴えてきた。これもまた、きわめて悪質な嘘だといえる。

国際社会では、未だに日本軍がアジアの女性を性奴隷にしたとの認識があり、米国での韓国や中国系団体のロビー活動で、新たな慰安婦像の建立の動きもあるようだ。韓国は、国家間の約束であっても平気で反故にする。

そもそも、慰安婦問題にせよ徴用工問題にせよ、韓国は「日本自身の問題」「日本人が犯した人権問題」と捉えているようだが、事実は全く違う。これは、全て韓国国内の政治問題なのである。

韓国政府と韓国国民が、意図的に現在の視点で過去を見るという愚行を続ける限り、この問題の解決はあり得ない。日本のみを悪者にし、韓国政府は悪くないというスタンスでは、全く公平性を欠いているとしか言えない。

韓国文化放送（ＭＢＣ）が、慰安婦問題について筆者のところにインタビューに来た。私は次のような考えを述べた。

「まず、慰安婦の存在についてですが、筆者は慰安婦の存在を否定したことは一度もありません。また、慰安婦になった方々に対しては、『感謝』すらしていますが、『憎悪』などしていません。戦火の中、日本軍の軍人とともに闘った『戦友』とでも言えるのではないかと思っています。

当時は、日本も朝鮮も貧困にあえいでいました。双方ともに、貧しい家庭は女の子が生まれたら、食い扶持を減らすために、裕福な家庭に預けて教育を受けさせてもらったりすることは、その時代のある意味、常識でした。また男児の場合は、『丁稚奉公』といい、貧困家庭は裕福な家庭に子どもを預け、そこでは、家の仕事をする代わりに、教育、住居、食べ物が与えられていたのです。

これを21世紀の日本や韓国の『常識の目』で見れば、信じられない酷《ひど》いことですが、当時は、それが『常識』だったわけです。

たとえば、朝鮮半島では男児を出産した女性は、『乳房が出た服装』をしていました（全員ではないと思いますが）。これを現在の常識で見て下さい。非常に奇異なことです。しかし、当時は常識でした。これに対して、貴方は文句を言えますか？

私が問題にしているのは、事実に基づいて日本の植民地支配を論じている安秉直氏、李栄薫氏、李宇衍氏らが言っておられることと同じです。当時の状況を無視して、慰安婦は強制された性奴隷かどうかという議論は、全く意味をなしません。貧困の中で、皆が生き延びられる方法をとっていただけです。

挺対協などの、いわゆる慰安婦をサポートしていると称する団体が、元慰安婦を大衆の面前に死ぬまで晒し続けて金儲けをして、反日活動をしていることこそが問題なのです。元慰安婦に対しては、挺対協などから、生き延びるために嘘を吐き続けることを強制された方々だと思っています。

問題は、韓国政府であり、慰安婦をサポートするこれらの団体なのです。そして、左翼マスコミなのです」

## 慰安婦問題にたかるマフィア

日本政府のこれまでの謝罪の内容は、私の考えと同じである。当時、彼女たちは、様々な理由によって、慰安婦にならざるを得ない状況に陥った。それは、彼女たちが悪いのではなく、その当時の時代背景がそうさせていたのだ。

さらに、韓国の社会保障制度が脆弱なために、その後も、彼女たちは大変な思いをされているのだ。問題は韓国政府にある。

日本政府の公式見解は、「慰謝料」ではなく「支援金」。

河野談話は、どさくさの中で十分調査もせずに、日本の一部の学者の話を鵜呑みにして出されたものである。しかし、狭義の強制性と広義の強制性とはきっちりと分けている。それは、日本政府や官憲による強制でなく、業者や親に強制されたという意味だ。

また、挺対協は、アジア女性基金から「支援金」を受け取った元慰安婦を罵倒した。日韓合意での「支援金」に関しても同様。慰安婦問題を終わらせたくない、この北朝鮮系と言われている挺対協やその他の慰安婦マフィアたちが問題なのだ。

筆者は、2015年の日韓合意には反対の立場だ。理由は、日本政府拠出の10億円というお金の用途が、「元慰安婦の医療費や生活支援」とされているのに、マスコ

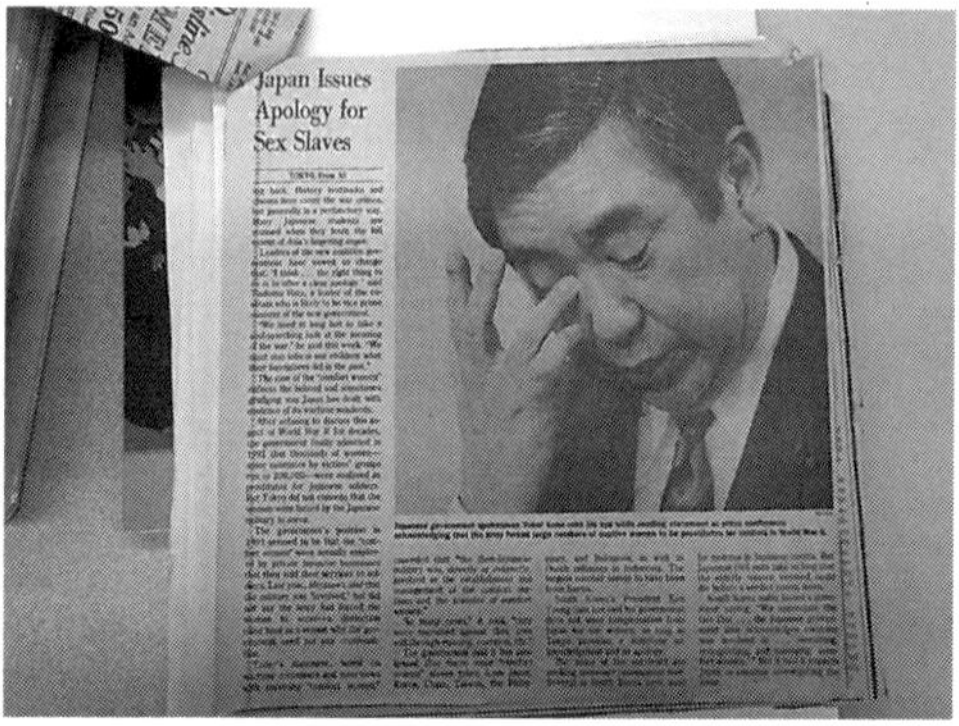

河野談話が出た時の新聞記事が米国国立公文書記録管理局にあった。記事のタイトルは「日本が性奴隷に謝罪」。

ミが「安倍首相、20万人を性奴隷にしたことを認め慰謝料を支払った」と報道するのが明らかだったからである。

あくまでも、韓国政府から年金もまともに貰えない老人たちへの医療費や生活支援であり、慰謝料ではないのだ。

戦時売春婦は、どこの戦争でも当然、存在してきた。リベラルの連中が、日本の慰安婦問題だけに焦点を当てているのだ。

韓国人が、ベトナム戦争中にいかに残虐な行為を行ったかを考えれば、日本の慰安婦がおかれた状況のまともさがわかるはずだ。

しかし、韓国人はダブルスタンダードで、自分たちのやったことには見向きもせず、なかったことをデッチ上げてまで、日本叩きをしているのである。ベトナム戦争に派遣された韓国軍が、虐殺と強姦を繰り返し、その被害者であるベトナム人女性から生まれたライ・ダイ・ハンと言われる2万人もの混血児。韓国人が彼らの存在に関して触れることはほとんどない。

朝鮮戦争時、韓国の政府（朴正熙《パクチョンヒ》大統領）自らが、慰安所を管理して、韓国人女性たちに米兵の性の相手をさせていたことも、韓国の国会にはこの証拠資料まで出されていることも、ほぼスルー、ほとんど語られない。

韓国社会の、他人に対して厳しく自分や身内に甘いという前近代的な文化、それが慰安婦問題を継続させる土壌となっているのだ。

また、韓国や日本の破翼（※パヨク）は、常にナチスドイツの話を引き合いに出す。ドイツは日本と違って、誠実にきちんと謝罪しているではないかと。しかし、ドイツ人にとってナチ＝ドイツではない。あくまで、国家社会主義ドイツ労働者党（ＮＳＤＡＰ）なのである。

ドイツは、ＮＳＤＡＰとドイツという国家を別なものと見なして、第二次世界大戦時の責任を全てナチ党に負わせているだけだ。それは、当時の政権政党が悪いことをしたと言っているのに等しい。しかし、その本音と本質に気づかない方々は、ドイツが謝ったと考えているのだ。そもそも、ドイツと比較しても、起こったことの状況が違うので、何の意味もなさないのだが。

※破翼（パヨク）：政治的思想には右翼（保守的）や左翼（革新的）があるが、このどちらにも属さない、または、どちらにも存在するというのが破翼の特徴。「破れた翼」「破綻した翼」のことである。簡単に表現するならば、日本にいながら、日本人であるというメリットを享受しつつ、反日活動に勤しむ団体や個人のこと。80年遅れのヒッピーとも言われる。理論や道理などはなく、「○×○×差別だ！」「レイシストだ（人種差別主義者だ）！」「○×○×ハラスメントだ！」などいう言葉や横文字を多用し、攻撃したい相手に対してレッテル貼りを行い、自らがそうではないと装う。攻撃的、暴力的かつ短絡的な連中のことを指す。議論をするとゴールポストを動かしながら応戦するという特徴もある。「ネトウヨ（ネット右翼）」という言葉の対義語として使われることもあり、特に左翼的思想をもった人に多いが、右翼的思想の持ち主の中にも存在する。また、「レイシストをしばき隊」や「のりこえねっと」などのように破翼団体と言われるものもある。この言葉が出来たのは２０１５年の年末頃で、現在では、テレビ番組でも使用されている。この言葉を作ったのは、女優で作家の千葉麗子氏、ホワイトプロパガンダ漫画家のはすみとし

こ氏、そして筆者であり、テキサス親父日本事務局が毎週金曜日の午後10時よりYou Tubeで行っている生放送「ワールド・オヤジ・サテライト」の中での視聴者とのやりとりの中で生まれた。

## 何故、韓国は飛び抜けて自殺率が高いのか

ここで、韓国の社会保障制度の脆弱性について述べておこう。

ご存じとは思うが、韓国は経済協力開発機構（ＯＥＣＤ）の加盟国で最も「自殺率が高い国」である。韓国に１００回以上の渡航経験がある筆者にはその原因に思いあたる点が多々ある。その理由は、韓国の社会保障問題にあると考える。韓国の経済発展に大きく寄与してきた年代の方々が、十分な年金も貰えずに、老後の病に苦しみ、貧困により自殺に追い込まれているのだ。

２００２年以降は、毎年、１万人をはるかに上回る人たちが自殺している。特に、２００７年の通貨危機、国際通貨基金（ＩＭＦ）による財政出動以降は、顕著に増えているのだ。

韓国に国民皆保険制度ができたのは、１９８８年のことである。２０００年には国民健康保険公団ができた。しかし、韓国の年金制度は非常に脆弱で、「老人の貧困」問題は深刻。それゆえに自殺が増えているのだ。当初は公務員にしか年金制度がなかった。

１９８８年に実施されたのは、従業員10人以上の民間企業。１９９２年には従業員５人以上の

民間事業所。1995年には農漁村地域の住民へと年金制度の適用範囲が拡大された。1999年、都市地域住民にも適用され「国民皆年金」の仕組みが一応は整った。

韓国の年金制度としては、「国民年金」と「特殊職域年金」がある。

老齢年金の受給資格は、被保険者期間が10年以上、原則として60歳になった者。加入者数は、2015年の「国民年金」が約2157万人、「公務員年金」が約109万人、「私立学校教職員年金」が約28万人。これらの合計である約2294万人は韓国の18～59歳人口の約71％に相当する。「国民年金」がスタートした1988年は、わずか21・6％。その後は急激に上昇し、2000年に58・8％に達した。そして2010年の65・4％を経て現在に至っている。

年金受給者数をみると、2015年で「国民年金」が約383万人、「公務員年金」が約43万人、「軍人年金」が約9万人、「私立学校教職員年金」が約6万人。これらの合計は約440万人となり、60歳以上人口の47・0％に相当する。つまり、53％の人は年金を受給できていないのだ。

極度の貧困に打ち拉《ひし》がれて、自殺以外の選択肢を見いだせないために、老人の自殺が後を絶たないのだ。韓国政府の無策がこの様な悲劇をもたらしているのである。

しかし、慰安婦だったと主張することによって、住むところ（ナヌムの家等）が与えられ、医療を受けられ、食事もできることになる。自殺を免れることができるのだ。

そんな老人たちの弱みに付け込んでいるのが慰安婦支援団体（正義連等）である。慰安婦支援団体は、人権を無視して、90歳前後の老人を米国や欧州などの議会や集会で発言させるために、片道10数時間、飛行機で連れ回し、どのようにしゃべるかをレクチャーし、金儲けのための女優として利用しているのだ。

前述したように、挺対協とともに3年間、慰安婦問題に取り組んだ安秉直ソウル大学名誉教授が、挺対協は「慰安婦問題を解決しようとしていない」と語り、縁を切ったのも、被害者を利用したビジネスをしている団体であるからだったのだ。

身寄りのある元慰安婦たちは、ナヌムの家以外の場所で家族と住んでおり、アジア女性基金からの支援金や、２０１５年の日韓慰安婦合意で設立された「癒やし財団」からの支援金を感謝して受け取っているのだ。しかし、正義連（旧挺対協）などのいわゆる支援者団体は、この老人たちに対して、支援金を受け取らないように圧力を掛けたり、罵ったりしたのである。

ソウルの漢江にかかる麻浦大橋は、飛び込み自殺の名所であり、橋の上には、自殺する前に電話をするようにと促す張り紙がしてある。「自殺者用の非常電話」が設置され、自殺者を見張る「監視カメラ」と「センサー」が備えられている。都市部では橋から漢江への飛び込み、それ以外の地域では農薬による服毒自殺が多い。

以前は、自殺願望がある人は麻浦大橋上に設置された電話から電話して話を聞いて貰うように促す張り紙があった。

橋の手すりに家族や子どもの笑顔の写真を貼って自殺を思いとどまらせようとする試み。

この様に、韓国が今後も自国内の問題を解決できず、日本に「強請《ゆすり》タカリ」をするのであれば、これ以上、日本から同情とお金を引き出すのは無理であろう。

「日本側の問題」として、韓国が自国の問題に目をつぶり続ける限り、韓国の悲劇は終わらないどころか、いずれは社会主義に飲み込まれて、民主主義の価値観を捨て、北朝鮮のような「国民総奴隷状態」になることだろう。

被害者ビジネスで他国から金をむしり取るような事をせず、韓国政府が自らの国民に対して十分な処遇をしなければ、その未来は暗いと言わざるを得ない。まず、自分の足で歩ける体力を付けることが韓国の最重要課題なのだ。

## バッカスお婆さん

もう1つ、韓国の老人の悲劇についてお話ししておこう。韓国の政治被害者で、現代の慰安婦とよばれる「バッカスお婆さん」たちについてである。彼女たちは最高齢84歳で売春を行っていると報道されている。高齢者の売春婦が後を絶たないのも、韓国の社会保障の遅れから来るものなのだ。

韓国に行ったことがある方ならばわかると思うが、韓国には繁華街などでリヤカーを引いてコーヒーを売っているアジュンマ（お婆さん）たちがいる。彼女たちは、公園などでたむろする人たちに、日本のリポビタンDのコピー商品である「バッカスD」という栄養ドリンクを売っている。

商品自体は単なる話をするきっかけであり、そこで、客を物色しているわけだ。金額は、年齢や時間によって多少違うようだが、大体、部屋代1万ウォン（約千円）程度に、売春が5千ウォン～3万ウォン（500円～3千円）。

前述したように、元慰安婦の中には、ナヌムの家の外で暮らしている人たちもいる。

この人たちの多くは、面倒を見てくれる家族がいるために、日韓合意に関しても、「お金がもらえるならば合意する」としている。ナヌムの家に住んでいる元慰安婦たちには身寄りがないので、生きるためには「嘘」でも「演技」しなければならないという側面があり、ある意味、韓国の政府が作った被害者とも言える。

これは困窮する老人に対する、明らかな「老人虐待」だ。彼女たちは被害者を演じなければ、自殺する老人たちと同じ運命を辿るわけである。

そして、その元慰安婦が亡くなっても、慰安婦支援団体のメンバーたちは、葬儀にすら出席しないという報道まである。そして、亡くなったお婆さんの遺産を巡って、挺対協がデッチ上げた遺言を元に、この元慰安婦の家族を訴え、遺産を全て吸い尽くしたという事例もある。要するに、すでに巨大なビジネスと化しているため、日韓合意で最終的かつ不可逆的に解決されては都合が悪いのである。

# 第四章

# 「民族根絶」こそが中国の夢

私は今、日本が領土や民族、文化や民主主義、人権などを脅かされる危険レベルにおいて、ステージ1にあると思っている。これは、中国からの脅威と侵略の話である。ステージ2は台湾、ステージ3は香港（中国が国家安全法の制定を決めたことで、今後は限りなくステージ4への道を辿ることになるだろう）、ステージ4が新疆ウイグル自治区、チベット、南モンゴル、パキスタンのバローチスタンという場所だ。日本がステージ1とはいえ、北海道や沖縄はすでにステージ1・5のレベルに状況は悪化していると思われる。

ステージの高い場所では、中国が進める陸と海のシルクロード経済圏構想「一帯一路」のもとで、中国と現地政府とが手を結び、少数民族を激しく弾圧している。

筆者は、迫害を受けているこれらの地域の人を招いて、国連でその実態を語ってもらっている。まさに今、彼らは民族破壊の危機に立たされている。そこには、中国共産党方式の「大量粛清」が展開されているのである。

## 新疆ウイグル自治区は「収容所」と化した

中国・新疆ウイグル自治区では、現在100万人のウイグル人が「職業教育訓練センター」（再教育センター）と呼ばれる強制収容所に拘束されていると言われる。

収容所の数は正確にわかっていないが、在日ウイグル人と日本ウイグル協会がまとめた「中国のウイグル人への弾圧状況についてのレポート」（第2版　2019年9月27日）によると、89の各県に少なくとも5つの再教育センターがあるとされ、AFP通信のまとめでは、新疆ウイグル自治区に、こうした施設が少なくとも181カ所存在するという。また、拘束されている人の数は、100万人よりもはるかに多いという人権団体の指摘もある。

収容所の内部ではどのようなことが行われているのだろうか。

弾圧状況に関するレポートや各種の報道などを見ると、まさしく「民族の抹殺」ともいえる実態が浮かび上がってくる。

強制収容所に8カ月間、収監され、カザフスタン政府の働きかけで釈放されたカザフスタン国籍のウメル・ベカリ氏の証言では、狭い部屋に20人以上が押し込められ、毎日早朝から夜遅くまで、中国語で中国共産党や習近平国家主席を讃えるプロパガンダの歌を歌わされ、共産党の政治思想が植え付けられたという。トイレは制限され、会話は全て中国語。さらにイスラム教が禁じている豚肉を食べさせられたり、鎖で手足を椅子にくくり付けられたりして、反省の態度を示すまで食事も水も与えられない拷問が行われていたというのだ。

また、これまでに3度、投獄されたことのあるウイグル人のミリグル・トゥルスンさん（女性）は、服用すると気絶する錠剤や、出血したり生理がなくなったりする白い液体などを強制的に投与されたといい、同じ監房にいた9人の女性が3カ月の間に死亡したと話している。

ある日、トゥルスンさんはある部屋に連れて行かれて高い椅子に座らされ、両方の手足を固定され、頭にヘルメットのようなものを載せられた。そこに電気が流され感電するたびに全身が激しく震え、血管に痛みを覚えたそうだ。口から白い泡が出てきて、意識が薄れていく。そして耳に入ってきたのが、「おまえがウイグル人であることが罪なのだ」という言葉だという。

BBCは2019年、国際調査報道ジャーナリスト連合（ICIJ）が入手した内部文書を報道した。それによると、2017年、新疆ウイグル自治区共産党副書記の朱海侖《ズゥハイルン》氏が収容所の責任者に宛てた連絡文書には「騒乱などの発生を絶対に許してはならない」「後悔の念と告白を行うように促せ」「行動規範を強化し、違反した者の懲戒、処分を重くせよ」などの指示が書かれていた。また別の文書からは、2017年のわずか1週間に、新疆ウイグル自治区の南部から1万5000もの人が収容所に入れられたことが判明した。

また、ICIJに加盟する共同通信も、中国当局がウイグル人を監視する大規模システム「一体化統合作戦プラットフォーム＝IJOP」を構築して、人々の行動を把握し、恣意的な拘束や施設への大量収容を行っている実態が内部文書で明らかになったと伝えている。監視カメラ映像や携帯電話の中身などあらゆる個人情報を解析し、多数のウイグル人を潜在的「危険分子」に認定していたというのだ。

「中国のウイグル人への弾圧状況についてのレポート」は、「最先端の監視技術の実験場」として、次のように記している。

「中国国内には昨年秋の時点で監視カメラが1億7000万台設置されており、今後3年間でさらに4億台が追加されると推定されている。監視カメラの多くには人工知能（AI）が搭載され、顔認証技術などを備えている。その『最先端の監視技術を試行する実験場』となったのは新疆ウイグル自治区である。

中国政府は、2017年第1四半期（1～3月）にウイグル自治区で10億ドル（約1130億円）以上に相当するセキュリティー関連の投資計画を発表したとウォール・ストリート・ジャーナル紙が明らかにしている。

国際人権組織ヒューマン・ライツ・ウォッチ（HRW）が明らかにした情報によると、中国当局は、問題を起こす危険のある人物を特定し、先んじて拘束するため、新疆ウイグル自治区に大量のデータを駆使した監視プラットフォームを配備している。この『予測による治安維持』プラットフォームについて、当局が監視カメラの映像や、通話・旅行記録、宗教的志向などの個人情報を統合・分析し、危険人物を特定するためのものだと説明する。カシュガル市だけで今年3月、5100万ドル（約55億円）以上を投じて、統合データプラットフォームを含む監視システムを購入・設置した。

この監視カメラシステムは、瞬時にして人の顔と歩き方を識別して個人を特定し、データベースと照合して年齢、性別、身長、民族アイデンティティを判定。その上、親族や知人といった人的ネットワークまで割り出すことができるという」

さらに、2017年4月から、ウイグル人にはスマートフォンにスパイウェア・アプリをインストールすることが強制され、このアプリによって全ての行動が政府に把握されているほか、車に対しても中国版全地球測位システム（GPS）の装着が強制されているというのだ。またパスポートを没収され、海外への渡航が不可能になったほか、「検診」の名目でDNAや血液のサンプル、指紋などの生体データが集められているとも言われている。

加えて中国政府は、新疆ウイグル自治区に漢民族を大量移住させて、ウイグル人の相対的な人口比率を下げている。老人以外の男性はひげを生やすことが禁止され、女性はベールやロングスカートの着用を禁止されている。街の中では民族衣装を着ることは許されない。さらに、学生には漢族の衣装を着させて漢族思想教育が施され、女性は漢民族の男性との結婚を強いられるなど、ウイグル・アイデンティティは破壊され続けているのだ。

街では公安関係者が各所で目を光らせており、500メートル間隔で監視塔のついた検問所が設けられ、顔認証機能を搭載した無数のカメラが住民の行動を監視している。ショッピングセンターやレストラン、会社などに入る際にはX線装置や金属探知機の検査を受けなければならない。モスクは閉鎖され、18歳以下の全員、学生や教師、職員らの礼拝や断食が禁止され、ドームや三日月などイスラムの特徴は一掃されているという。さらに学者や医師、教師、弁護士、有能なビジネスマンなど数多くのエリートたちが根こそぎ収容所に拘束されているのだ。

こうして、新疆ウイグル自治区は今や丸ごと「収容所」と化しているのである。

## チベット方式が転用された

ウイグル人は長年にわたって独立を目指し、闘争を続けてきた。

1933年に東トルキスタン・イスラム共和国が誕生し、青地に星と三日月の国旗を制定した。翌年、中国の弾圧やロシアの干渉で崩壊したものの、1944年には再び東トルキスタン共和国が成立。しかし、中国は、1949年、東トルキスタンを「新疆ウイグル自治区」として併合した。そして、同化政策を推し進め、ウイグル人たちは中国政府の監視下で無償労働を強制されたたり、ウイグル語での教育が禁止されたりした。1964年には核実験がロプノール周辺で行われ、多くのウイグル人住民が被爆する被害にあっている。

1990年4月、新疆西部のアクト県バレン郷でテュルク系イスラム教徒1万人が蜂起し、東トルキスタン共和国の樹立を宣言した。中国政府はこれを「反革命武装暴乱」として鎮圧し、数多くのウイグル人が行方不明または殺害された。

1997年2月には、グルジャ（イーニン）市で中国政府へのデモに参加した400人以上のウイグル人が逮捕された。また、2009年6月に広東省の玩具工場で漢民族とウイグル人従業員との間で衝突が起き、死傷者が発生。これがきっかけとなり、翌7月にウイグル人と武装警察とが衝突する大規模な「ウルムチ事件」が起きた。「世界ウイグル会議」は、この事件で武装警察による無差別射撃が行われ、1500人のウイグル人が射殺されたとしている（中国当局は197人の死者のほとんどが漢民族だったと主張）。

2014年4月30日、ウルムチ市の鉄道駅でテロ事件が発生し、自爆犯を含む3人が死亡、79人が負傷した。中国公安当局はウイグル独立派組織の関与を指摘したが、これは、ちょうど習近平国家主席が初めて新疆ウイグル自治区を視察した時のことだった。

この一件が、中国の苛烈な弾圧への「ターニングポイント」になったと言われている。事件発生後、習近平主席は演説を行い、「慈悲を見せてはならない」と、治安回復のために強硬手段をとることを打ち出した。そして2016年、チベット弾圧で名をはせた陳全国《チェンクァングオ》氏が新疆ウイグル自治区の党委員会書記に任命されたことで、強制収容所の数が急速に拡大した。

前出のウイグル人への弾圧状況に関するレポートはこう指摘している。

「3年前から事態が急変し、ウイグル情勢は著しく悪化した。2016年に元中国共産党チベット自治区委員会書記で、チベット人への弾圧で手腕を発揮した陳全国が、新疆ウイグル自治区の書記に就任してから、独裁的な長期政権を築いた習近平中国共産党総書記をバックにし、東トルキスタン史の中で最も酷く露骨な人権弾圧、同化・民族浄化政策を展開し始めた。

習近平政権が推進する現代版シルクロード経済圏構想『一帯一路』の戦略的要衝とみられる東トルキスタンに、完全な監視社会を作り上げ、ウイグル人の言語、文化、宗教を絶滅させるような民族浄化政策を実施している。

陳全国が就任して以来、前任の張春賢《チャンチュンシャン》が推進した『双語教育』（事実上の漢語教育）をさらに強硬に推進し、小学校から大学まで全ての教育機関でウイグル語の使用を禁止した。ウイグル語で出版された教科書、小説、歴史を反映する本、イスラム教に関連する書籍を焼却した。陳は、1年も経たない間に、9万人以上の治安関係ポストを募集し、ウイグル自治区の警察の人員を2

015年の6倍に増員し、ウイグル地域における『監視社会』の完成を手掛けた」

陳氏は2011年にチベット自治区党委書記に任命されると、現在、新疆ウイグル自治区で実施されている治安システムをチベットに確立した。500メートルごとに警察の検問所を設けたり、治安関係者を大幅に増員したり、大量の党員を僧院に送り込んだり、スマートフォンを利用して個人情報を集めるといった手法だ。

彼はかつて、李克強首相が河南省党委書記を務めていた時代の部下で、党中央の指示が直接、反映されたと見られている。2017年には、この「功績」が認められたためか、第19回共産党大会を経て党の政治局委員に昇進している。さらに、青海省や寧夏回族自治区などイスラム教徒が多い地域でも、新疆ウイグル自治区の治安手法が取り入れられているとの報道もある。

民主化団体「チベットのための国際キャンペーン」(ICT)は、陳氏の目的について、チベット人とウイグル人の血統、ルーツ、社会の連帯の破壊であると指摘している。

ウイグル人の住むこの地域は、石油や天然ガスなどの天然資源が豊富なのだ。石油は中国の28%、天然ガスは33%を占めると言われている。さらに、カザフスタン、ロシア、モンゴル、キルギス、タジキスタン、アフガニスタン、パキスタン、インドやチベットなどの地域と接しており、地政的に極めて重要な意味を持っているのだ。中国は新疆ウイグル自治区を台湾などと並ぶ「核心的利益」と呼び、「一帯一路」における要衝の地に位置付けている。

弾圧はこの「一帯一路」政策と密接に結び付いていると言われる。

「一帯一路」は、2013年、習近平主席が提唱してスタートしたが、これは、ちょうど新疆ウイグル自治区で迫害が強化された時期と重なる。「一帯一路」で示された経済ベルトは中央アジア、中東を経てヨーロッパへとつながっている。このプロジェクト推進は習近平主席が掲げる「中華民族の偉大なる復興」の大きな基盤だ。

このため中国政府は、「一帯一路」のハブとなる新疆ウイグル自治区から「危険分子」を一掃するために、ウイグル人を強制収容所に押し込み、「再教育」を施し、街には監視網を張り巡らせて大弾圧に乗り出したのだ。

さらに、前述したように漢民族の大規模な移住が行われ、新疆ウイグル自治区の「完全中国化」が図られている。権威ある米外交誌「フォーリンアフェアーズ」は、北京は分離独立のいかなるポテンシャルも取り除きたいと考えており、資源の経済的利益はほぼ一方的に漢民族に流れ込み、ウイグル人はますます「周辺化」していると指摘している。「一帯一路」こそがウイグル人「抹殺」の引き金を引いたわけだ。

## 侵略の「実験場」となった南モンゴル

こうした新疆ウイグル自治区と同様に、南モンゴルも苛烈な弾圧を受けている地域だ。中国では南モンゴルを「内モンゴル自治区」として、１９４９年に正式に中国に組み込んだ。１９６６年から１９７６年にわたった文化大革命では、すさまじい数のモンゴル人が犠牲になったといわれる。モンゴル自由連盟党によると、当時の南モンゴルに住むモンゴル人は１５０万人しかいなかったが、そのうちのなんと１００万人が逮捕され、死傷者は数10万人にのぼったという。

「残虐行為は想像を絶するもので、女、子どもを吊るし上げて拷問したり、舌に針を通したり、素足で火の上で躍らせたり、強姦し、陰部を串刺しにしたりペンチで歯を抜いたりした。拷問の方法はなんと１７０種類にのぼる。人民解放軍の劉小隊長の伝記には『モンゴル人たちが全員死んでも問題ない。わが国の南方にはたくさん人間がいる。モンゴル人たちの生皮を剥ごう』とまで書かれていた」（「知られざる南モンゴルの惨状」モンゴル自由連盟党）。

どのモンゴル世帯でも、必ず１人は犠牲者がいるといわれるほどの虐殺と恐怖政治が行われた。

環境破壊も民族の生存を脅かしている。草原は遊牧民であるモンゴル人の生存の基盤である。中国はここを耕作して農地に変え、石油や石炭などの資源を収奪し、工業化を進めてきた。もともと草原は表土が薄く、モンゴルでは降水量も少ないために、非常に脆弱な土地だ。一度、鍬を入れて掘り返すと二度と元には戻らず、たちまち砂漠化してしまうのだ。

しかし、中国は砂漠化の原因をモンゴル人の放牧のためだと主張し、放牧を禁止する政策をとっているのだ。そして、乱開発で資源を独占し、すでに「自治区」の60％が砂漠化してしまった。

ここでも漢民族の移住が進んでおり、今では80％が漢民族、モンゴル人はわずか17％に過ぎず、「少数民族」になっている。これは、毛沢東が「砂をまぜる」と呼んだ漢民族の大規模な入植活動だ。中国人という「砂」をどんどん入れることによって、現地の「砂」である民族を少数民族に追いやれば、そこは中国の領土になるという考えである。

また、ほとんどの学校で、中国語による教育が行われている。

同時に、モンゴルの文化伝統を破壊するために、助成金を出して強制的に牧畜をやめさせているという。ただ、助成金はモンゴル人にはほとんど届かず、漢民族の支配者にわたっているのが実情だ。

南モンゴルは、こうした中国の侵略行為の最初の実験場となった。中国政府は南モンゴルで「予行演習」し、これをウイグルやチベットでも実践しているというわけだ。

## 弾圧はバローチスタンにも「輸出」

こうした弾圧は中国から海外にも「輸出」されている。

パキスタンの西部に位置するバローチスタン州は、パキスタンの国土の約4割を占める天然資源が豊富な地域だ。バローチスタンの天然資源がなければ、現在のパキスタンの経済は成り立たないと言われている。ところが、人口はパキスタンの総人口の5％にしか過ぎない。

このバローチスタンには、1840年にイギリスが侵攻し、1854年にイギリス保護領バローチスタンとなった。1947年にイギリスのインド統治が終了すると、もともと、インド領ではないバローチスタンは、1952年、バローチスタン藩王国連合として独立し、議会や内閣を設置した。

しかし、徐々にパキスタンからの圧力が強まり、1955年には藩王国自体が名目上消滅して、パキスタンのバローチスタン州となった。

1998年、中国が新疆ウイグル自治区で核実験を行ったのと同様に、パキスタンもバローチスタン州で核実験を行った。

民族的には、バルーチ語を話すバローチ人、パシュトゥーン語を話すパシュトゥーン人、ブラ

英国に亡命中のバローチスタンのスレマン国王閣下と中国の「一帯一路」に関する意見交換をする筆者。

中国による人権侵害を受けている民族や団体の代表、日本の知識人を登壇者として一同に集め、それぞれの悲惨な状況に関する詳細報告を行った。国会議員を含む300人を越える聴衆が熱心に聞き入り、マスコミが伝えない中国の極悪非道さを知り驚愕していた。右はそのイベントのチラシ。

ーフーイー語を話すブラーフーイー人などがいる。

みな非常に穏やかな民族で、自然崇拝が一般的だが、パキスタン当局により強制的にイスラム教徒に改宗させられているのだ。

バローチスタンには、グワダル港という大型船舶が停泊できる港がある。これが、中国の「真珠の首飾り戦略」にとって、非常に重要な拠点になっているのだ。「一帯一路」構想の心臓部である。

グワダル港はホルムズ海峡に近いために、中国は原油を中東からタンカーでグワダル港まで運び、そこからパイプラインを通して新疆ウイグル自治区のカシュガルに送る計画を進めている。また、同区間に鉄道も通す予定だ。これは、2008年にパルヴェーズ・ムシャラフ大統領（当時）が提案したものである。

同時に、中国とパキスタンをつなぐ陸路となるプロジェクト「カラコルム・ハイウェイ」（KKH）の建設も進んでいる。

グワダル港は、中国の習近平主席が「一帯一路」構想の基幹プロジェクトと位置付ける「中国・パキスタン経済回廊」（CPEC）の拠点なのだ。

2013年、中国政府はパキスタン政府に対する総額460億ドル（約5兆円）にのぼる莫大な援助と引き替えに、グワダル港の管轄権を43年間契約で獲得した。

さらに、バローチスタンの天然資源の採掘、港湾の整備などの利権もパキスタンから買い取った。中国はＣＰＥＣを２０３０年までに完了しようとしている。

当然、自然を大切にするバローチ人たちは、神聖な地の破壊に対してデモなどで抵抗することになった。十分な軍備は持っていないが、それでも多くの命を落としながら、必死で応戦している。

この抵抗を、中国とパキスタンは対外的に「テロ」だと公言しているのだ。

中国は、チベットや新疆ウイグル自治区で行ったように、道路を整備し、鉄道を通し、学校を作るなどして、近代的で便利な街作りをすると説得を試みている。しかし、住民たちは、物質的な豊かさを求めているわけではない。

パキスタン軍やパキスタンの諜報機関であるＩＳＩ（Inter-Services Intelligence）は、抵抗する住民たちを次々にとらえて強制収容所に送りこみ、拷問を行った上に殺害したりしている。

中国政府が、新疆ウイグル自治区やチベットなどで行っている迫害と全く同じだ。

中国政府がウイグル人などを「テロリスト」と呼ぶのと同様に、パキスタン政府は開発に反対するバローチ人たちに「テロリスト」というレッテルを貼ることにより、国際的に弾圧が正当化されることを狙っている。

さらに、開発権を持つ中国の企業を守るためと称して、人民解放軍がこの地域に入りこんでその迫害に加担している。

国連では、こうしたバローチ人への弾圧に対して、アムネスティ・インターナショナルをはじめ多くの国際人権NGOが非難の声を上げ、救済を求めている。

表面上は中国とパキスタンの経済協力という形だが、実際には、バローチスタンは中国の世界戦略の野望の重要な拠点となっており、その裏で多くのバローチ人が弾圧の対象にされているのだ。

一方、ウイグル人とパキスタンが、水面下で結びついているという指摘もある。

ウイグル人を弾圧している中国に対し、軍を持たないウイグル人は、部分的な反撃を行ってきた。これを中国政府は「テロ」と呼び、更に弾圧を強化するという構図になっている。

ウイグル人はパキスタンと同じイスラム教徒で、中国の弾圧に耐えきれずにパキスタンのテロ作戦などを教える軍の訓練を受けて、反撃に出ているとも言われている。

パキスタンで訓練を受けたことにより、ウイグル人のテロが以前より強力になってきていると懸念する中国は、テロの訓練施設からウイグル人を追い出し、新疆ウイグル自治区へ返すという内容の「約束」をパキスタンと締結、その見返りに何百万ドルもの資金をパキスタン政府に供与したという情報もある。

もともとパキスタンは、対立するインドとは軍事力に大きな格差があり、正面から戦争したのでは勝ち目がないため、イスラムのテロ組織を支援してきたと言われる。パキスタンは、中国から多額の金銭供与があったとはいえ、同じイスラム教徒のウイグル人を易々と見放すはずがない。このためさらに巧妙な方法で、ウイグル人をサポートするのではないかというのが関係者の大方の見方である。

## 海外に及ぶ中国の妨害行為

筆者がこのバローチスタン問題に取り組んでいた時、思わぬ妨害行為が起きた。

2016年11月28日からタイのバンコクで、世界中の人権に関するNGOを招待して、バローチスタン問題について「地理的な観点」や「自己認識の観点」から話し合うシンポジウム（「Balochistan Geo-politics and Baloch Identity」）が開催されることになっていた。

主催者側の1人、ムニール・メンガル氏は、会場設営のために11月25日からバンコクに入り、「アジア工業大学会議センターの外国特派員協会」で準備を進めていた。

ところが、27日になって参加者が宿泊しているホテルにタイ警察が訪れ、高圧的な態度で「観光ビザでの入国」であること、「過敏な問題に関する会議を開く許可を政府から取っていない」ことを理由に、ムニール・メンガル氏を拘束して、国外退去処分とした。さらに、同行していたフランス人のジャーナリストも拘束され、24時間の拘留取り調べの後に強制送還されたのだ。

フランスに戻ったジャーナリストに筆者が聞いたところによると、本人はジャーナリスト用ビザ、ムニール・メンガル氏も会議用ビザを取得していたとのこと。彼は入国管理局で「何の法律に反しているのか」と何度も聞いたそうだが、まともな回答は得られなかった。しかし、最後の取調官は「君たちは無罪だ。しかし、極端な政治的な圧力によって決定された」と答えたそうだ。

タイ当局に拘束され国外退去処分になったバローチ・ボイス・アソシエーションのムニール・メンガル代表。

つまり、中国は自らが行っている人権弾圧について会合で話されることを恐れて、タイ政府に政治的な圧力を掛けたと推察されるのだ。中国からタイへの直接的投資額だけを見ても、この年の1月から9月までだけで、５３７０億円（１７００億バーツ）にものぼっている。

これもあって、タイ政府は中国からの申し入れを呑んだものと思われる。それが意味するところは、タイ政府にとっては中国・パキスタンによる弾圧や拷問、虐殺という問題よりも中国からの投資が重要であり、最終的には中国の人権弾圧に加担したということだ。

かつてタイは、各国から迫害を逃れた人たちが身を寄せる自由な国だった。しかし、２０１４年に軍事クーデターが起き、国際的な非難の中で孤立した。そこに目をつけ手を差しのべたのが中国。このようなチャイナマネーを背景にした圧力は、東南アジアやアフリカなど世界各国に広がっているのだ。

## 世界を欺く宣伝活動

筆者は、２０１９年2月から3月にかけて第40会期国連人権理事会に出席した。そこでは、中国の新疆ウイグル自治区での弾圧に各国から非難が集中していた。特に、人権問題について敏感なEU諸国やオーストラリア、ウイグル人と民族的に繋がるトルコが、この問題を大きく取り上げていた。

これに対して中国は次のように反論した。

「中国政府へのウイグル人弾圧に関する批判は、全くの事実無根である。新疆ウイグル自治区内での何千人もの『分離主義者』『過激主義』『テロリズム』の煽動を抑え、一般市民を守るために、中国政府はテロリストたちの犯罪と闘っている。

いくつもの反テロ・反過激主義対策を行っており、『再教育センター』も、過激主義に走る人たちの数を減らすための対策の1つである。社会には過激主義思想がはびこっており、それらの影響を受けないように、また、テロから人々を解放するために努力している。これらの対策は、全て法に則っており、安全保障の状況は改善してきており、人権状況も改善してきている。

我々は思想信教の自由を保護している。また、新疆ウイグル自治区での独自の言語も保護されている。文化も完全に保護されている。新疆ウイグル自治区のラジオ局やテレビ局では、中国語、ウイグル語、その他の言語で放送されている。中国は開かれた快適な国だ。新疆ウイグル自治区には多くの旅行客やジャーナリストも受け入れている。

いくつかの病的なメディアのプロパガンダによって、全く事実と異なる報道がなされている。我々は、国連の職員を含む、全ての友好的な人たちの訪問を歓迎する。国家の尊厳と領土に対する敬意を示せる人々を歓迎する。各国には、新疆ウイグル自治区でのテロとの戦い、過激主義との戦いを理解し、建設的な対話を望む」(2月28日)

このような答弁は、以前から中国政府が行っている発言で、何の目新しさもない。しかし、中国は国連だけではなく、各国のNGOを抱き込んでプロパガンダの拡散に必死だった。いずれにしても、100万人ともいわれるウイグル人が強制収容所に収容され、その子どもたちも孤児院での生活を強制されている事実は、各国のNGOの調査でも明らかだ。

さらに中国は、3月12日にも同様の反論を行った。

「人権理事会においては、全ての国家が相手を尊重し、建設的な意見を交わすとしているが、これはダブルスタンダードで、中国に対しては、ありもしないことで各国が非難を続けている。新疆ウイグル自治区の状況は安定しており、経済は活発で、全ての人種の人権が守られており平和的に生活している。新疆ウイグル自治区でのテロや過激主義との戦いにおいて、政府の施策は全ての人種から支持されており、デマや捏造で中国を分断させようとしても、それは成功しない。英国、豪州とチェコ、その他の国々は、事実を捏造し、中国を貶め、ずけずけと内政に干渉しようとしている。国連憲章にもあるように、中国はその様な行動に対して拒否する」

「中国政府はチベット自治区と新疆ウイグル自治区の社会的経済的開発に努めている。チベット自治区と新疆ウイグル自治区の人々の全ての権利は完全に保護されている。現在、新疆ウイグル自治区の社会は非常に安定している。経済開発も好調で、全ての民族が平和に暮らしている。

テロや過激主義による被害者に対して、新疆ウイグル自治区では多くの教育施設を設け、それが非常に良い結果をもたらしている。新疆ウイグル自治区の安全環境は非常に改善し、多くの人々が過激主義から解き放たれ、社会や家庭に帰っている。新疆ウイグル自治区に対して行われた対策は、全ての国民から支持されている。中国の主権や領土、法律を尊重し、悪意のない偏見のない人々が新疆ウイグル自治区を訪れるならば歓迎する。中国は法が支配している国だ。しかし、表現の自由や人権の名の下に中国の国力を削ぎ、陥れ、社会を不安定にしようとする人たちには断固とした対応をする。

中パ経済回廊に関しては、人権の保護と促進がなされており、その地域のお互いの繁栄に寄与している。関連する国家やNGOは、中国に対して対峙、非難することを即座に止め、建設的な意見交換を行うべきである」と、ぬけぬけと言い放っているのだ。

中国は人権理事会が行われている中で、サイド・イベントを開催したり、最も目立つロビーを1週間にわたって貸し切って、中国政府がいかにウイグル人を手厚く扱っているかを見せるためのパネル展も開催した。

そこでは、ウイグル人が文化的で最新のインフラの中で生活している様子の写真が数多く展示されていたが、写真は全てにおいて不自然で、特に人物の表情は、完全に作られたものだとわか

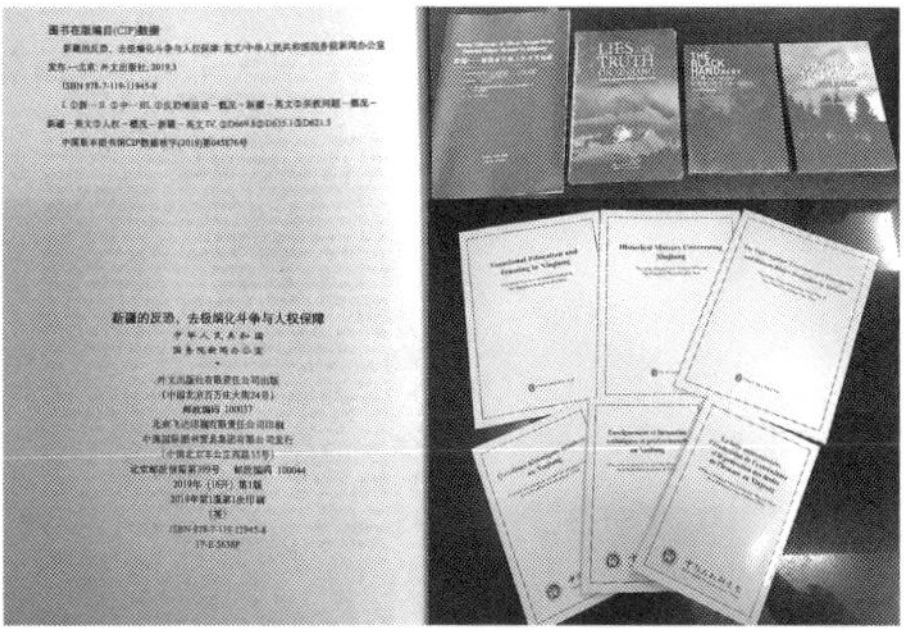

国連内のメインロビーを貸し切って行われた、中国の新疆ウイグル自治区に関するプロパガンダ写真展。

中国政府や中国のNGOが、国連内で無料配布している中国政府作成のプロパガンダのためのDVD、冊子類。

中国政府が派遣している、写真パネル展の説明要員3名。内女性2名は英語が堪能だった。

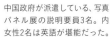

るようなものばかり。とても実際のウイグル人の生活状況だとは思えない。

筆者がパネルの写真を撮っていると、その姿を2人の中国政府の関係者であろう人間が写真に収めていた。プロファイリング（犯人像の分析）のためだろう。

サイド・イベントでは、ワインや食事が振る舞われた。参加者は、中国に経済援助を受けているアフリカ諸国の人が多いようだった。サイド・イベントでどのような会合が開かれたのかその内容は不明だが、中国の「国際貢献」や急激な経済成長、インフラの近代化など、大部分がプロパガンダであったことは間違いない。

中国が「一帯一路」を推し進めるために、徹底して宣伝活動を行い、資金力で世界の国々を欺こうとしている様子が明確にうかがえた。

## 「一帯一路」に潜む戦略

「一帯一路」とは中国式のグローバル経済で、中国だけが潤う経済圏構想だといえる。民主主義や人権を弾圧し、西欧型の秩序を排除して中国式の秩序に置き換えようとするものだ。

中国があちこちの国に投資している裏には、次のような狙いがある。

1．自国の過剰な人口問題を解決する手段で、投資先国の工事には自国の国民や犯罪者を送る。

2. 中国の生産過剰になった鉄鋼製品やその他を売り、国内企業を存続させる。
3. 過剰な貸付で返済不能にし、主要な資源や港を収奪するソフト侵略。
4. 作業員の警護という名目で、中国人作業員1人あたり3〜6人の人民解放軍を派遣し中国軍の基地を作る。
5. 開発などで反対運動が起きれば、投資相手国政府に資金の凍結などをチラつかせて排除を命じ、一般市民に対して拷問し、活動家を拘束させたり、場合によっては殺害させて計画を進める。
6. マスコミを乗っ取り、プロパガンダを拡散し、中国語を公用語にさせ、中国の通貨である元を流通させる。
7、議会を乗っ取り、国を支配する。
8. 中華思想の拡大。

特に、最近の中国の世界戦略で見逃すことができないのは、小国や発展途上国に向けた政府開発援助（ODA）だ。

「あなたの国を発展させるためにインフラを整備しましょう。お金は、中国がODAで出します」。この甘い言葉に乗ったら、その国は中国の経済植民地になったも同然だ。

日本主導の「アジア開発銀行」は貸付もするが、返済できるかどうかの評価や事業に対する指導、財務に対するチェックを行い、対象国にあまり無理をさせない。労働力の大部分も現地で採用する。金利は、0・25%~3%程度だ。

一方、中国から借りたらどうなるのだろうか。中国が、投資やODAで発展途上国などに資金を援助する時は、中国に有利になることしか考えていない。

すなわち、

1. 返済に高金利を課す。
2. 工事のための労働力は現地の人を雇用するのではなく、中国から送る。このため現地の雇用増には貢献しない。
3. インフラ整備のための材料、工作機械は中国から送り、現地で調達しない。
4. 綿密な財務チェックや返済計画を立てない。作ったインフラもほとんど利益を生まないので、返済が不能になってしまう。
5. 返せなくなることを見込んで、弱みを掴む。
6. 国連やその他の国際会議の場などで、意見が割れる場合は、必ず債務国に対して「中国側の意見に賛成するように」との圧力を掛ける。

ヤクザの金貸しと同じようなもの、融資をたてに「属国化」するというわけだ。

アジア開発銀行などから融資を受けた後で中国からの借り入れをしてしまうと、アジア開発銀行への返済も出来なくなる。最終的にはさらに経済的に中国に頼らなくてはならなくなり、まさに中国の援助が「麻薬」の役割を果たすことになる。

中国からのＯＤＡで作られる各国のインフラは、「中国が」その国や地域や隣国から「天然資源を運び出すため」のものだ。インフラを整備してもらっても、メリットはほとんどないのが現状だ。バローチスタンは、そのような中国の投資を必死に阻止しようとしているが、すでに手遅れだった。

中国は将来、米国との有事が勃発した際に、マラッカ海峡を封鎖される可能性があることを懸念している。その場合、原油や天然資源の確保、製品の販売ができなくなるため、陸路を確保して、アジアの国々や中東との輸出入を可能にしたいと考えているのだ。パキスタンやミャンマーに資金を供与し、影響力を強めているのはそのためだ。

さらに港を整備すれば、軍事的な展開が拡大できる。現に、スリランカには中国の空母、潜水艦やその他の戦艦が入っている。

中国の誘いに乗ることがいかに危険であるかは、パキスタンやラオス、キルギス、ジブチなどの国々が借金返済不能に追い込まれていることを見れば明らかだ。経済破綻したギリシャも、中国の国営企業「中国遠洋運輸集団」によって、地中海最大級のピレウス港をたった450億円程度で買い取られた。中国はそこに同額程度の投資をして、港湾を整備し、軍港化する予定だ。ピレウス港は、深さもあって、大型船舶も問題なく停泊できる良港だ。世界の港を買いあさる中国の計画には、ピッタリの場所といえるだろう。

これはソフトインベージョン、緩やかに侵略していく方法だ。パキスタンのグワダル港のケースとも酷似している。中国が、「欧州征服」のための軍港として、ピレウス港を使用するのは目に見えている。「中国バス」に乗ることは、まさに中国の世界戦略に加担することになるのだ。そして、それは将来、自国が大中華の属国に組み入れられ、延《ひ》いては民族浄化の対象として弾圧を受けることもあり得ることを、歴史から学び取らなければならない。

## 何故、日本は本質を見抜けないのか

しかしながら、日本はこの「一帯一路」に協力姿勢を示している。安倍首相は「洋の東西、その間の多様な地域を結びつけるポテンシャルを持った構想だ」と高く評価した。その背景に、経団連の猛烈なプッシュがあったことは容易に想像できる。

国連内で日本政府代表部の担当者へ日本政府の対応に関する問題点や意見を述べる著者。

国連内で日本政府代表部の大使（左）に、慰安婦問題に関して意見を述べる、藤岡信勝「新しい歴史教科書をつくる会」副会長（中）と筆者（右）。

現在の経団連といえば、金に目がくらんでいるだけで、国益や日本の尊厳などとは全く無縁であると言えよう。

そもそも、現在の経営陣は代を重ねてサラリーマン社長となり、創業者の意思を受け継いでいるケースも稀だろう。親の世代が敗戦後の焼け野原から、汗水垂らし血のにじむような思いで努力した結果、高度経済成長を達成した。その時の人たちが真面目に努力を重ねてきた企業が世界企業となったわけだ。

しかし、その裕福な家庭に育った子どもたちは、大学に入学はしたものの学生運動真っ盛りで、勉強どころか、火炎瓶の作り方を学び、ヘルメットを被り、タオルで顔を隠し、ゲバ棒片手に暴れ回った。これでは、まともな考え方や企業人としてのあるべき姿勢が生まれるはずがないのだ。

簡単に金を稼ぐ方法として、親の世代から蓄積してきた技術を、周囲を見下したような態度で、しかもタダ同然で中国などに供与し、「3セル」（飲ませる・抱かせる・握らせる）にまんまと引っ掛かってしまい、魂まで渡してしまったようだ。

彼らも話せばわかる、日本人同様に恩義を感じるはずだという幻想を抱いていたところに、根本的な間違いがあるのだ。

付き合えばわかると思うが、技術を教えても「たったそれだけか?」「もう無いのか?」と言われるだけで、感謝されることも恩義を感じてもらうこともほとんどない。しかし、「3セル」で麻痺させられたオヤジたちは、見て見ない振りを重ねてきたのである。

生産拠点を中国に移せば、安い賃金で労働力を確保できて、短中期的な利益が上がるために、「工場を移すこと＝発展」と勘違いしてしまったわけだ。これが、経営陣が努力しなかったもう1つの理由である。ところが、いくら優良企業であったとしても、潰れる時は一瞬だ。

「一帯一路」構想に、大きな危険が潜んでいるにもかかわらず、簡単においしそうな仕事を取りたい経営陣は、将来の日本よりも、現在の自社の利益を優先するのである。そして、中国と協力すれば「ウィン・ウィンの関係になる」と、明るい部分だけを殊更に強調してきた。しかし、この「ウィン・ウィン」の関係自体を、中国とは決して築くことができないことにいまだに気づいていないのだ。

歴史問題において、韓国や中国に「歴史を忘れた国には未来はない」と言われているが、それは、これらの経営者たちにそのままあてはまる言葉ではないだろうか。中国共産党政府の自国民に対する扱いを見ればよくわかるはずである。自国民以外の人間を自国民以上に扱うわけがないのだ。

「嘘つきは泥棒の始まり」「周囲に人がいなくてもお天道様が見ている」と性善説を躾られてい

る日本人は、彼らから見ると単なる「カモ」でしかない。何故なら、彼らは「人に騙されないように注意しなさい、騙されたら騙された奴が未熟だから」と習うからである。要するに騙すことが悪いのではなく、騙される奴が悪いという教育を受けてきた相手なのだ。

そうした日本人の甘い考えは、企業の経営陣だけにとどまらず、現在の政治家や官僚にも共通している。だから暴虐国家の本質が見抜けないのだ。

中国の人権弾圧阻止に取り組む団体は、「今の中国を生み出したのは、日本を含めた欧米諸国であるとも言える。自国の国益だけを考え、弱小国や民族の運命を無視するとしたら、やがてそれが祖国に回ってくる時がくる。世界のあらゆるところで、経済的に素晴らしい貢献をしている日本は、民主主義の基本的根本的な自由、人権に関して世界に貢献してほしい」と訴えているのだ。日本の官民は、「一帯一路」の陰で起きている苛烈な現実をきちんと認識すべきだ。

## 横行する臓器ビジネス

少数民族への弾圧が続く中国では、臓器移植手術がさかんに行われている。この臓器がどこから供給されるのか、今大きな疑惑が持ち上がっているのだ。

中国の臓器移植を考える会（ＳＮＧネットワーク）の報告を見ると、ニューヨークに本部のある中国臓器収奪リサーチセンターによれば、中国の病院で臓器移植手術を受ける患者の待機期間は平均で1～4週間。最短では数時間で適合臓器が見つかることもあるという。これは世界の移植医学の常識では考えられない短さだ。

世界最大の移植大国であるアメリカでさえ、心臓なら8カ月、肝臓は2年2カ月、腎臓では3年1カ月が平均の待機期間である。

ところが、中国に行けば通常1週間から4週間で適合する臓器が見つかるというのだ。

「何故、中国でのみ、このように世界常識を覆す迅速な移植手術が可能なのか？　中国には、需要があれば直ちにそれに応えられる大量の臓器ストックがあるからだ、としか考えられません……一体どうやって」と、SNGは問いかけている。

中国では2000年代以降、臓器移植手術が激増した。中国政府は臓器の供給源について、死刑が執行された囚人からのものであると説明していた。しかし、死刑執行数が多いとされる中国でも、年間の執行数は数千件だ。中国の臓器売買問題を調査しているカナダの弁護士デービッド・マタス氏とデービッド・キルガー氏、アメリカ人ジャーナリストのイーサン・ガットマン氏の報告『中国臓器狩り（Bloody Harvest）』では、中国の臓器移植手術は「年間6～10万件」とされている。

一方、中国は2013年にドナー登録制度を採用し、2015年には死刑囚からの臓器摘出を中止したと発表した。ところが、ドナー登録数は5500程度にとどまっている。では、大量の移植手術の臓器はいったいどこから供給されるのだろうか。

広く指摘されているのが、「法輪功学習者」からの臓器摘出だ。1990年代、急速に支持者を拡大していた法輪功は、中国共産党を脅かす存在だとして、当局から激しい弾圧を受けた。1999年、法輪功のメンバーたちが大規模な無言の抗議行動を行い、その際、大量の人々が拘束され労働収容所や刑務所に送られたという経緯がある。

中国での臓器移植が激増したのは、この翌年の2000年からである。

かつて遼寧省の蘇家屯病院に勤務し、夫がこの病院の執刀医である「アニー」と名乗る女性職員がこれを告発した。デービッド・キルガー氏は、この女性と会ってインタビューしている。

それによると、「アニー」は「法輪功学習者たちは心臓麻痺が起こるような薬品を注射されていました。そして手術室に運ばれ、臓器を摘出されます。注射のせいで心臓は止まっていますが脳はまだ機能しています」と証言し、夫も自分が手術しているのは法輪功学習者だと気が付いていたと話した。

被害者は法輪功学習者だけではない。共産党政権による臓器狩りは、1990年代にウイグルで始まったと言われているのだ。

ウイグル人からの臓器摘出について、明確な証拠はないが、「中国のウイグル人への弾圧状況についてレポート」は、新疆ウイグル自治区の収容所からは続々と死者で出ていて、「家族に返す・見せることなく、新しく設けられた一般人が入ることのできない遺体処理・安置所で処理されている。臓器売買のため、臓器が抜き取られた痕跡のある遺体もあったという情報がある」と述べている。筆者もまた強制収容所に隣接して、火葬場ができたという情報を聞いている。イスラム教徒は普通、土葬にされる。では何故、火葬場が設置されたのだろうか。

さらに、2017年秋、新疆ウイグル自治区カシュガルの空港に通行標識が設けられ、「特殊旅客、人体器官運輸通路」と書かれていたことが判明した。「人体器官」とはすなわち、人間の臓器のことだと推測される。

ウイグル出身の元医師エンバー・トフティ氏（英国に政治亡命）は、臓器摘出を証言した人物である。新疆ウイグル自治区ウルムチの病院で腫瘍外科医として働いていた時に、主任外科医からある処刑場への出張を指示され、「遺体から肝臓と腎臓を摘出しろ」と命じられ、死刑囚から臓器を取り出したと明らかにした。中国共産党の長期にわたる独裁体制の下で、医師が上司の命令に従い臓器狩りに加担するのは珍しくないという。手術を重ねると、感覚が完全に麻痺し、自分が医師だという前に、中国共産党に指示された通りにやるのが仕事だと思い込むという。トフティ氏は、新疆ウイグル自治区で行われている住民へのＤＮＡ採取について、移植用臓器となる「生きた臓器バンク」としてドナー登録しているのではないかと推測している。

今、パキスタンのバローチスタン州では、拷問を受けた死体が木にミノムシのようにぶら下げられている光景が目撃されている。その死体には内臓がないのだ。また、フィリピンでも内臓のない死体が発見されている。これは一体、何を物語るのだろうか。

「肝臓は１０００万円から、腎臓は６００万円から、心臓は１３００万円から、角膜は３００万円から」というのが、移植手術の相場として語られている。デービッド・キルガー氏は、大規模な臓器売買は、年間１兆円前後の収益を国家にもたらしていると試算している。つまり、移植医療は中国の成長ビジネスになっている。これに共産党の幹部や富裕層たちが群がっている。

中国国内の小数派民族であるチベット人やウイグル人は中国が統治し始めて以来、弾圧に次ぐ弾圧によって、今この瞬間も苦痛にあえいでいる。

チベットの僧侶10数人が抗議自殺した事件は、今も記憶から消え去ることはない。「仏に仕えるチベット人僧侶が自殺すること」の意味を考えると、その弾圧がいかに凄まじいものであるかがわかる。

現在も、日々繰り返されている迫害、人権や命の尊さを無視した行為の裏に、このような得体の知れない「人体ビジネス」が存在するとすれば、おぞましいとしか言いようがない。

# 第五章

# 詐欺映画『主戦場』の真実

## 監督「出崎幹根」の正体とは

映画『主戦場』のパンフレットに、大矢英代というジャーナリスト・映画監督がこんな賛辞を書いている。「櫻井よしこ、杉田水脈、ケント・ギルバード、テキサス親父…いわゆる『ネトウヨ』たちが支持する人物たちが次々と登場し、持論を展開する。しかも、悠々と、時に笑みをすら浮かべながら、警戒心を解いた『無防備な』彼らの姿に私は目が点になった。ここまで彼らの言葉を引き出す、この映画監督は何者か…」。

この問いに対する答えを述べよう。「出崎幹根」とは単なる食わせ者である。この出崎氏（以下、敬称略）は言葉巧みに近づいて、我々を騙し、約束を破って偏見に満ちた映画を製作し、現在、刑事と民事の裁判で被告になっている人物だ。

出崎とはどういう人物なのか。『主戦場』のパンフレットではこう紹介されている。

「ミキ・デザキ　ドキュメンタリー映像作家、YouTuber。1983年、アメリカ・フロリダ州生まれの日系アメリカ人2世。ミネソタ大学ツイン・シティーズ校で医大予科生として生理学専攻で学位を取得後、2007年にJETプログラムのALT（外国人英語等教育補助員）として来日し、山梨県と沖縄県の中高等学校で5年間、教鞭を執る。同時にYouTuber『Medama Sensei』として、コメディビデオや日本、アメリカの差別問題をテーマに映像作品を数多く制作、公開。タイで仏教僧となるための修行の後、2015年に再来日。上智大学大学院グローバル・スタディーズ研究科修士課程を2018年に修了。初映画監督作品である本作『主戦場』は、釜山国際映画祭2018ドキュメンタリー・コンペティション部門の正式招待を受ける」

「Medama Sensei」という出崎氏のYouTubeチャンネル（https://www.youtube.com/user/medamasensei）に投稿されていた動画。（写真上）Shit Japanese Girls Say（クソ日本人女性が言う）というタイトルの動画の1シーン。日本語では「日本の女の子がよく言うこと」となっていた。（写真下）Shit Japanese Students Say（クソ日本人学生が言う）というタイトルの動画の1シーン。日本語では「日本の学生がよく言うこと」となっていた。現在、この2つの動画は批判を受けて削除されており閲覧できない。

「医大予科生」とか「差別問題」とか「仏教僧」など、さも道徳的で慈愛に基づいた活動を行ってきたかのように見えるが、この男がこれまでに製作した動画とは、日本人女性や学生を嘲笑し、馬鹿にした下劣きわまりないものばかりである。

たとえば、ある動画は、日本人の学生が、いかに頭が悪くて英語が下手かを表現した悪質きわまりないものだ。眼鏡をかけてマスクをした女子学生、マスクをしていない女子学生、詰襟の学生服を着た男子学生、そして、河童のような頭をした男子学生が出てくるが、全て出崎が扮している。

英語の発音が悪い詰襟の男子学生が「It's Monday」と言う。これは英語が話せない日本人を嘲笑したものだ。女子生徒が「ねぇ、ねぇ、トイレ行こう」と、別の女子学生を誘う。これもまた女子生徒たちが1人でトイレに行かないことを揶揄している。さらに詰襟学生が小指を立てたり、女子学生が教室内で鏡を出して化粧したり、ボキャブラリーが貧困なことをあげつらうのも、要するに、日本の学生たちは男も女も馬鹿ばかりだということを表しているわけである。

今、出崎はそれらをネット上から削除しようと血眼になって探している。理由は2つある。1つ目は、自分が他人にレッテル貼りをしているために、差別主義者であることがバレてしまう。そして2つ目は、出崎が「日本語が理解出来ない」設定で『主戦場』の挨拶を各映画館で行っていること。要するに「日本語がわからない」フリをしているために、流暢な日本語を話している自分の動画が拡散すると、演技をしていることがバレるからである。つまり都合良く自分をカムフラージュする必要があるためだ。

彼が女性蔑視、日本人蔑視、さらに劣等意識の持ち主であることは、彼が製作したこれらの動画を見れば一目瞭然である。『主戦場』のパンフレットのインタビューの中で、出崎は「今までの人生で一貫してある私の思いは、人の助けになりたいということなのだと思います」などとしゃべっているが、実体は単なる「ペテン師」にすぎないのである。

前述したように、出崎は「語学指導等を行う外国青年招致事業」で来日し、英語補助教師として中学校や高校で英語を教えていた。その間に「Medama Sensei めだませんせい」というYouTubeアカウントで、「Racism in Japan 日本では人種差別がありますか?」という、日本を貶めるための動画を投稿し炎上させた経歴をもっている。その動画を非難されたため、彼は日本人を、総じて「右翼」や「歴史修正主義者」だと決めつけたのだろう。つまり『主戦場』はこの「復讐」のために作られたのであり、それは何ら歴史観の裏付けもなく、被害者になりすますという点では、慰安婦マフィアと同じメンタリティだと筆者は考える。

## レッテル貼りのプロパガンダ映画

では『主戦場』が、いかに悪質なプロパガンダ映画であるかを説明しよう。

2020年1月1日に韓国の地上波テレビで放映された『主戦場』の画面を撮影したもの。これから話す５人は「歴史修正主義者たち」であり「歴史否定論者たち」であるという前振りのためのカットである。

出崎はパンフレットのインタビューの中で「（対立する）双方の意見をしっかりと聞いて、理解することだ」と「中立性」を保つことを述べ、映画を見た人から「映画がとても公平に両方の議論をしっかりと見せている」との感想を多くいただいた、などと話している。

しかし、映画では最初に保守派の筆者ら5人、すなわち藤岡信勝氏（元東京大学教授、新しい歴史教科書をつくる会副会長）、杉田水脈氏（衆議院議員）、ケント・ギルバート氏（タレント、米カリフォルニア州弁護士）、トニー・マラーノ氏（国際ジャーナリスト）、そして筆者の5人の顔が大写しされ、「REVISIONISTS」「DENIALISTS」と大きな文字でレッテル貼りしている。これから、この映画の中に登場するこれら5人は、極悪人ですと言わんばかりだ。冒頭でそのようなレッテルを貼った上で本編に入るのだ。

「リビジョニスト（REVISIONISTS）」とは歴史修正主義者などと訳されるが、その意味はもっと深刻で、ナチス・ドイツによるユダヤ人に対するホロコースト（大量虐殺）が行われたことを否定する、社会的に抹殺されても仕方がない人間を指すようなひどい言葉である。また「ディナイアリスト（DENIALISTS）」とは歴史の本当の事実を否定するという用語である。さらに映画では「ライト・ウインガー（右翼）」、「コンフォート・ウーマン・ディナイアー（慰安婦否定者）」、「セクシスト（性差別主義者）」などという一方的なレッテル貼りがあちこちで行われており、これが映画の中に、次々と何度も出てくるのだ。このレッテル貼りは、彼が制作したこれまでのYouTubeの動画と同様である。

構成上も卑劣な手段が使われている。

プログラムでは「イデオロギー的にも対立する主張の数々を小気味よく反証させ合いながら、精緻かつスタイリッシュに1本のドキュメンタリーに凝縮していく」などと述べているが、その中身は5人が話す内容を徹底的に叩き、否定するというものである。

たとえば、「慰安婦は高給取りの売春婦であった」とする我々のインタビューを先に行い、そのあとで「慰安婦は性奴隷だった」とする左翼や朝鮮人に一方的に反論させるという手法である。

彼らの側にだけ一方的に反論の機会を与えて、我々には一切の反論の機会を与えずに、我々の発言の一部だけを切り取って意図的に悪用しているわけであり、「反証させ合う」ことなど全くなされていないのだ。

このような例もある。「(慰安婦は)高給取りであった」と、我々サイドの発言を示した後に、ミャンマーでの当時の「インフレ率」を持ち出して、「実際の価値は、額面の1800分の1の価値しかなかったのでリビジョニストがいうことは嘘である」と決めつけて、否定する場面がある。たとえそのインフレ率が事実であったとしても、慰安婦たちは軍票で対価を受けとり、仲のよい日本軍の軍人に依頼して郵便局の自分名義の口座に預金をして、それを朝鮮にいる家族などに送金していたという事実、その預金額が東京に家を5軒買えるほどの金額であることには意図的に触れていない。そして、そこで慰安婦たちが蓄音機やダイヤモンド、高級バッグ、化粧品などを買っていたことなどにも一切触れることはない。これらは、公文書や慰安婦の手記に明確に示されている事実であるにもかかわらずだ。要するに日本や朝鮮半島に送金するにあたっては、ミャンマーのインフレなど一切関係ないのだ。

さらに、慰安婦が「本人名義で通帳を作ることができた」ということ自体、当時では考えられないほど、女性の権利が守られていたことを示すものである。出崎にインタビューを受けた時、筆者はこの話をしたのだが、その場面は全く使われずにカットされていた。

取材対象者の5人は、それぞれが根拠を持って体系的に話していた。しかし前後の脈絡を無視し、発言者の一部の言葉尻を恣意的にとらえて、結果的に発言者の真意をゆがめて人格的に貶めるという手口が駆使されていたのである。

登場人物の比率についても著しくバランスを欠いている。保守側が8人なのに対して、左翼・朝鮮人側は18人。学者の数についてはあちら側が吉見義明氏や小林節氏、そのほかのインタビューがあったのに対して、こちら側は藤岡信勝氏のみなのである。

また、加瀬英明氏（外交評論家）については、「様々な慰安婦関連の歴史修正主義者たち側の団体を調べると、ほとんどの団体の代表が加瀬英明氏である」と事実を捏造している。日本会議に対しては「明治憲法に戻そうとしている」と根も葉もない攻撃を行っている。そして、憶測を基にした事実に完全に反することが語られており、日本会議が訴訟を起こしてもおかしくない内容であった。

安倍首相批判は、完全に左翼や中国、朝鮮の主張と同じであり、この映画の中では、慰安婦問題に無関係な沖縄の基地問題や日本の軍備に関する内容についてまで日本叩きを展開している。これは、映画が学術研究目的にあるのではなく、もっぱら自らの「政治的メッセージ」を観客に伝えるためのものであることを如実に物語っている。

ちなみに、映画には、「女性国際戦犯法廷」で天皇陛下、日本政府を人道に対する罪で有罪とし、慰安婦問題で韓国に賠償の口実を与えた団体「アクティブ・ミュージアム　女たちの戦争と平和資料館（ｗａｍ）」や、「挺対協（韓国挺身隊問題対策協議会）」（現在の正義連＝日本軍性奴隷制問題解決のための正義記憶連帯）といったいわくつきの運動団体が登場している。さらに映画のアシスタント・プロデューサーやアソシエイト・プロデューサーは朝鮮人である。

出崎は映画を製作するにあたり、筆者らにメールで「公正性かつ中立性を守りながら、今回のドキュメンタリーを作成し、卒業プロジェクトとして大学に提出する予定」と述べていたが、映画は決して「中立」ではなく、バイアスのかかったものであることが明白であり、さらに当初から卒業プロジェクトではなくプロパカンダ映画を製作する意図があったことも、これから説明する経緯をお読みいただければ明白である。

すなわち出崎の狙いは「慰安婦＝性奴隷」を否定する著名な保守言論人たちの人格を攻撃して侮辱することにあったのだ。私たちを映画に登場させたのは、あくまで双方を出演させて「中立性」を装うために過ぎず、その裏には「この連中たちを断罪してやる」という意図が込められていたことが容易に想像できるのである。

## 巧妙に近づいてきた

では、出崎は私たちにどのようにして近づいてきたのか。詐欺師は、得てして善良な好人物然とした顔をして現れるものだ。

出崎が最初にアプローチしたのは山本優美子氏（「なでしこアクション」代表）である。出崎は山本氏に対するメールの依頼文の中で、インタビューの目的を次のように説明している。

「これは学術研究でもあるため、一定の学術的基準と許容点を満たさなければならず、偏ったジャーナリズム的なものになることはありません」「私が現在手がけているドキュメンタリーは学術研究であり、学術的基準に適さなければなりません。よって、公正性かつ中立性を守りながら、今回ドキュメンタリーを作成し、卒業プロジェクトとして大学に提出する予定です」

また、同じく出崎のインタビューを受けたジャーナリスト、櫻井よしこ氏の場合、インタビューの趣旨を説明した依頼状には、上智大学の校章の入った便箋を用い、次のように書かれていた。

「我々が慰安婦問題について研究を進める過程で、日本の保守派がこの問題に関して説得力のある議論を展開していることが明らかになった。慰安婦問題に関わる右派・左派両方の当事者へのインタビューをもとに、両者の議論の対立点を鮮明化する」と。

筆者が出崎と会ったのは2016年6月、自身が執筆者として加わった『国連が世界に広めた「慰安婦=性奴隷の嘘」――ジュネーブ国連派遣団報告』(自由社)という本の出版記念パーティを、中野サンプラザで開催した時のことである。この本は筆者たちが国連に通って、そこで何がわかったかをまとめたものである。この時、上智大学の大学院生を名乗る3人の学生が「大学の卒業製作として慰安婦関係の動画を作りたいので、卒業研究のために教えてほしい」と近づいてきたのだ。そのうちの1人が出崎である。

3人が差し出した名刺は上智大学の校章が付いており、いかにも大学の名刺のように見えたが、メールアドレスからして、どうもおかしな点があった(大学が学生に付与する正式なアドレスはxxx@sophia.ac.jpだが、名刺にはxxx.sophia@gmail.comとなっていた)。

出崎は筆者へのメールで「学術研究として倫理的で公平でインタビュー対象者に対して敬意を持つ責任がある」と伝えてきた。相手が学生で、修士課程を修了するための学術研究ということなので、社会人として協力するのは当然であると考え、引き受けたのだ。出崎は筆者以外にもケント・ギルバート氏、藤岡信勝氏などにバラバラにアプローチしてきたので、誰にインタビューを申し込んでいるのかは、お互いに知らなかった(テキサス親父へのインタビューの申し込みは代理人である筆者を通して行われた)。

私たちは当初、上智大学の学生だと思い込んでインタビューを受けた。筆者がインタビューを受けたのは2016年9月26日、埼玉県熊谷市のテキサス親父日本事務局内である。トニー・マラーノ氏は2017年1月、東京・四谷の上智大学だった。

出崎はインタビューに先立って、「承諾書」を筆者に対してメールで送ってきた。筆者が見る限り、出崎の権利主張ばかりが並び、まるで命令書のような内容で、こちらは何をされてもいいというようなことが書かれていた。その中にはDVD化、販売や貸与したりする内容も入っていた。これではとてもサインはできないと思い、しゃべったことについて間違った使われ方をした場合は、筆者に差し止める権利があるということを相手に伝えた。

すると出崎から差し止めはできないが、使われ方が意図したものと違うという場合は、映画の最後のクレジット欄に筆者がこの映画の作りや出来に不満であることを書きたい放題、書いてよい、そして映画ができた時点で筆者に見せると言ってきた。

しかし、出崎はその約束を全く無視して、事前に筆者に見せることはなかった。2年後、いきなりメールが送られてきて、著作権と漏洩の問題があるので、見せられないと一方的に伝えてきたのだ。そして、彼らの指導教授が、日本共産党の機関紙である「しんぶん赤旗」に頻繁に登場し、元旦には第一面で日本共産党の志井和夫委員長と「新春対談」を行ったり、学生を利用して反日左翼活動を展開している中野晃一氏だったことがあとになって判明したのである。

以下は出崎と筆者が取り交わした合意書（２０１６年9月26日）の全文である。

◆

出崎・ノーマン・エム（以下「甲」）と、藤木俊一（以下「乙」という）は、甲の製作する歴史問題の国際化に関するドキュメンタリー映画（以下「本映画」という）について以下のように合意する。

1．甲やその関係者が乙を撮影、収録した映像、写真、音声および、その際に乙が提供した情報や素材の全部、または一部を本映画にて自由に編集して利用することに合意する。

2．乙が甲に伝えた内容は個人の見解であり、第三者に同意を得る必要、または第三者に支払いを行う必要がないことを確認する。

3．本映画の著作権は、甲に帰属することを確認する。

4．本映画の製作にあたって、使用料、報酬等は発生しないことを確認する。

5．甲は、本映画公開前に乙に確認を求め、乙は、速やかに確認する。

6．本映画に使用されている乙の発言等が乙の意図するところと異なる場合は、甲は本映画のクレジットに乙が本映画に不服である旨表示する、または、乙の希望する通りの声明を表示する。

7．本映画に関連し、第三者からの異議申し立て、損害賠償請求、その他の請求がなされた場合も、この責は甲に帰するものであることに同意する。
8．甲は、撮影・収録した映像・写真・音声を、撮影時の文脈から離れて不当に使用したり、他の映画等の作成に使用することがないことに同意する。
本書を2通作成し、甲乙ともに本書に署名・捺印致し、それぞれに保管するものとする。

◆

この5番と6番には映画を見せて確認する旨が記されている。そもそも映画を見せないのだから、明らかに契約に違反している。

また8番には「甲は、撮影・収録した映像・写真・音声を、撮影時の文脈から離れて不当に使用したり、他の映画等の作成に使用することがないことに同意する」とある。「他の映画等」とあるのは、学校に提出する以外には使ってはいけない、ということで、商業映画は別物であるはずだ。一方、合意書の最初には、甲が製作する「歴史問題の国際化に関するドキュメンタリー映画」とある。合意書には『主戦場』などという言葉はどこにも書かれていない。我々はこの映画はあくまで「卒業製作である」と聞かされていた。しかし、勝手にあとから、『主戦場』という商業映画として、2019年4月20日に一般公開されたのだ。

## 「不正の嫌疑あり」

筆者らは2019年4月27日、上智大学のグローバル・スタディーズ研究科委員長に質問状を提出した。そしてインタビューに訪れた3人の大学院生の在学期間や、指導教官は誰か、などを問い合わせた。これに対して、5月9日に上智大学大学院グローバル・スタディーズ研究科委員長から「大学院生本人の許可がなければ教えられない」という返答があった。

そこで5月30日、加瀬英明氏、ケント・ギルバート氏、櫻井よしこ氏、藤岡信勝氏、トニー・マラーノ氏、山本優美子氏、筆者の7人が署名して、「映画『主戦場』の上映差し止め」を求める共同声明をまとめ、日本記者クラブで公表した。

その骨子は、

①商業映画への「出演」は承諾していない
②「大学に提出する学術研究」だから協力した
③合意書の義務を履行せず
④本質はグロテスクなプロパガンダ映画
⑤ディベートの原則を完全に逸脱

⑥目的は保守系論者の人格攻撃
⑦出崎と関係者の責任を問う

というものである（共同声明の要旨は章末に掲載）。

これに対して出崎は、6月3日に弁護士会館で反論の記者会見を開き、「（藤岡氏らに）差し止める権利はない」と述べ、応じない考えを示した。それればかりか、藤岡信勝氏らに「（映画は）一般公開する可能性もある」とメールなどで伝えていたと反論。さらに、映画で筆者らを「歴史修正主義者」と位置付けたことについて、「彼らは世界的に合意されている歴史観を変えようとしている。それは歴史修正主義だ」と述べ、「世界が考えている慰安婦問題とは、彼女たちは性奴隷であり、20万人いた、強制連行された人たちだということだ」とも主張した（産経新聞）。

このため、やむなく筆者を含む5人（ほかにケント・ギルバート氏、トニー・マラーノ氏、藤岡信勝氏、山本優美子氏）は6月19日、出崎と映画配給会社『東風』に対し、著作権侵害や名誉棄損で『主戦場』の上映禁止と損害賠償を求めて東京地裁に提訴したのである。

その後、6月21日に藤岡信勝氏は上智大学の「告発窓口」に電話し、研究倫理上問題があることを説明した。また8月28日には、上記5人が連名で、学校法人上智学院の佐久間勤理事長と上智大学の曄道佳明学長に、これまでの経緯と上智大学の責任を指摘した「通告書」を提出した。

この間、上智大学からは一切、返答はなかったが、通告書を内容証明郵便で提出したのち、9月2日になって上智大学から「調査委員会を組織する予定である」と連絡があった。さらに9月4日に学長名で「研究活動上の不正行為に係る調査について（調査の実施及び調査委員会委員の通知）」と題する文書が届き、その中に調査委員会5人の名前が記されていた。私たちが最初に提起（4月27日）してから実に4カ月も経っていたわけで、まさしく大学側は何の調査を行わずに、握りつぶしてしまおうという気でいたことがうかがえる。

しかし、ここでも問題が判明した。調査委員会の委員5人のうち2人は教職員から、3人は一般人から選ばなければならないという規定があるが、調べてみると、大学側が示したうちの2人の研究者は、研究上そして運動上、明らかに「中野教授のグループに属する人間」だった。さらに一般人には同じ弁護士事務所に所属する弁護士2人が入っていたが、弁護士というのは依頼者の利益になるように動くため、上智大学の利益にしかならない。

そこで9月11日に、人選はインチキであり全く公平ではないとの異議申し立てを行った。すると大学側から9月25日付で返答があり、調査委員を一部交代させ、予備調査を実施していると回答してきた。しかし、調査委員の誰が誰と交代するのか書かれていなかったため、こちら側は、交代する委員の実名を明らかにすること、調査方法については、当方の代理人弁護士を含めた被害者たちとの協議の場を要求することなどを盛り込んだ「公開質問状並びに異議申し立て書」を10月1日付で提出した。

一方、大学側は11月1日付で「予備調査実施について（ご連絡とお願い）」と題し、中野晃一教授と出崎の研究不正について、書面による資料提出を求めてきた。さらに予備調査委員会の委員長には、9月11日付の異議申し立てで忌避した人物とは、別の人物（上智大学教授）が据えられていた。

そしてようやく12月18日付の「本調査の実施および調査委員会委員の通知について」という文書において、中野晃一教授および出崎を被告発者とする「研究不正事件」について、予備調査委員会は「嫌疑あり」と判断し、本調査実施を答申したこと、それを受けて、調査委員会がその通り決定したと回答してきたのだった（一連の経緯は、「映画『主戦場』上智大学研究不正事件の全体像」https://rinri.punish-shusenjo.com/を参照）。

一方、筆者はこれと並行して10月4日にトニー・マラーノ氏と一緒に、出崎と映画の配給会社『東風』を刑事告訴した。テキサス親父の動画を『主戦場』の中で2本使っているという著作権侵害が理由の1つである。通常、警察はこうした刑事告訴はなかなか受け取らないものである。しかし、事の重大さを弁護士の書面で説明したところ、当日に受理された。これは極めて異例だと言える。

また、文部科学省に対しては、前出の5人で、10月1日付で文部科学大臣あての報告書を提出した。内容は「学術には高度な倫理的規範が課されるが、今回、研究不正の実行者たちのやったことは人を攻撃するための手段として、学術的信用を利用するという最も悪質なものである」と訴えたものである。そこで、助成金の交付先である大学が不正行為を行うことについての意味を質し、調査を依頼したのである。これについて文科省側からは「調査をします」という返事があった。

## 研究倫理違反は明らかだ

そもそも学術研究には「研究倫理規範」があり、研究者はその規範に従わなければならない。規範が定められているのは「研究対象者に被害を与えてはならない」からである。もし、その規定に違反した場合、研究機関は不正行為を厳格に調べて、再発しないように処分を下さなければならない。つまり違反者は、学術の世界からの追放を免れられないのである。

さらに研究対象者の安全を保障するために設けられているのが、インフォームド・コンセントである。研究対象者には、事前に研究計画の全容が知らされなければならず、研究者は研究対象者への同意を取り付けたうえで、「研究参加同意書」などの書面によってその全容を表明しなければならない。一方、研究対象者は研究参加への同意をいつでも撤回する権利が認められており、同意を撤回した時点で、研究者は対象者から取得した研究資料を回収・破棄しなければならないとされている。

上智大学では、「学術研究倫理ガイドライン」に、「研究者の責務」として、「研究者は、研究活動のあらゆる局面において、捏造、改ざん、盗用などの不正行為を行わないこと、加担しないことはもとより、研究、調査データの記録保存や適切な取扱を徹底し、不正行為の発生を未然に防止するよう研究環境の整備に努める。研究を指導する立場にある者は、不正行為が行われないよう、指揮下にある研究活動及び研究者等の管理、配慮を行う」と定めている。さらに、「差別やハラスメントの排除」の項目において、「研究者は、研究活動のあらゆる局面において、各個人の人格と自由を尊重し、属性や思想信条による差別を行わない」としている。

また、「『人を対象とする研究』に関するガイドライン」において、「研究者が、個人情報や、個人のデータ等を収集・採取する時は、研究者は、研究対象者に対して研究目的、研究成果の発表方法など、研究計画について事前に分かりやすく説明しなければならない」「研究者が、個人情報や、個人のデータ等を収集・採取する時は、書面、その他の方法により、事前に研究対象者の自由意思に基づく同意を得なければならない」「研究対象者が同意を撤回した時は、速やかにその情報やデータ等を廃棄しなければならない」などとするインフォームド・コンセントが定められているのである。

しかし、筆者たちが5月30日に共同声明を発表し、「上映中止」を求めたにも関わらず、出崎はこれを拒否し、現在も映画の公開を続けている。またインフォームド・コンセントの手続きを無視して資料の撤回も行っていない。

そして、「同意」においても、相手を欺く説明を行い同意書を詐取するような行為を行っている。このように出崎は全てにおいて研究倫理規範に違反している。つまり出崎の行ったことは「研究協力者の権利保護」を侵害する極めて悪質な「犯罪行為」なのだ。

さらに、担当教授である中野晃一は、その責任者として研究を指導する立場にあるにもかかわらず、この不正行為や犯罪行為を主導し、積極的に加担しているのである。上智大学というブランドを悪用したきわめて悪質な事件であることは言うまでもない。予断だが、この中野晃一教授は国際教養学部の学部長だ。この教養も常識もない悪質な人物が、学部長という学生ばかりか他の教授までも指導する立場にあるのだ。中野晃一の不正行為は、賭けマージャンで引責辞任した黒川弘務・前東京高検検事長と同様であるとも言える。法を執行する検察官のボスが自ら法を犯すのと同様に、学生や教授までも指導する立場にある中野晃一が、自ら犯罪行為を裏で操っていたのだ。中野晃一は、この『主戦場』の中で、長々と持論を述べている。当然である。自分の指導している学生が作っている映画だ。その修士課程の修了を可とするも不可とするもこの中野晃一の判断に大きくかかっているからだ。これで、上智大学がこの中野晃一を懲戒処分にできなければ、上智大学自体がグルであると言わざるを得ない。安倍首相は、黒川元検事長を訓告としたことで、国民から強い反発を受けている。筆者は、この安倍首相の判断は甘いと考えるが、黒川検事長が辞任したことと合わせれば、不満ではあるが一応の決着を見たと考えている。この上智大学も同様に速やかに問題の解決を図るべきである。

## 責任者は中野晃一氏に他ならない

ではこの「不正事件」の責任者は一体誰なのか。実施者は出崎である。しかしその最終責任者は出崎の指導教授である中野晃一氏だ。

中野晃一教授は、前述のとおり共産党の機関紙「しんぶん赤旗」のレギュラー執筆者であり、2020年1月1日には志位和夫委員長との新春対談で安倍政権批判を繰り返している。2017年の総選挙では、穀田恵二氏（共産党衆院議員）の応援演説に駆けつけるなど、共産主義への傾倒者だ。

彼は平成31年4月の「安倍政治を終わらせよう！　4・19院内集会」で、『主戦場』に関して出崎は自分の教え子だと述べたうえで、「あの人たち（保守派）の顔を見ていると苦痛だ」「いかに荒唐無稽で馬鹿げたことを言っているのか」「今になって騙されただの何だの言っているんですけど、全部、自分で話している話」などと我々をさらに嘲笑しているのだ。

また『主戦場』にも自ら出演し、「１９９７年は歴史修正主義が始まった年だ。その年に悪名高い『新しい歴史教科書をつくる会』が結成された」「安倍首相は2期目の比較的、若い国会議員だったが、奇妙な名前の『日本の前途と歴史教育を考える若手議員の会』を設立した」「朝日新聞を無理やり政府見解に屈させることに成功して大胆になった安倍氏は、さらに国際的なキャンペーンに関与するようになった。特にアメリカに注目し、右派がいうところの『誤った』認識を変えさせようとした。２０１４年12月の解散総選挙の際に自民党は公約の中で、再選されたら政府が日本の歴史に対する誤解を正すと掲げていた」などと、政治的プロパガンダを行っている。さらに映画ではそれを別の人の発言などによって補強し、保守派攻撃を展開しているのである。

中野氏は北海道大学名誉教授の山口二郎氏（法政大学教授）の仲間でもある。山口氏は安全保障関連法案に反対する国会周辺の集会で、「安倍に言いたい。お前は人間じゃない！　たたき斬ってやる」と叫んだ人物だが、学生たちの抗議団体であるシールズ（ＳＥＡＬＤｓ）を裏で操っていた。中野氏もまた「ＳＥＡＬＤｓ」や、そのリーダー的メンバー・奥田愛基氏が設立した団体「ＲｅＤＥＭＯＳ」の後ろ盾になっている。

ほかにも元朝日新聞記者の植村隆氏、「あいちトリエンナーレ２０１９」の企画展「表現の不自由展・その後」の芸術監督・津田大介氏、社民党の福島瑞穂氏、立憲民主党の海江田万里氏などと繋がりがある。

お分かりだろう。彼の狙いは何かと言えば、すなわち慰安婦問題で発言している保守系論者の「人格攻撃」「誹謗中傷」なのだ。慰安婦論争は、歴史家の秦郁彦氏の済州島での現地調査によって吉田清治氏の嘘が暴かれ、朝鮮問題研究者の西岡力氏（麗澤大学客員教授）によって強制連行が虚構であることが立証されており、１９９２年の段階で、日本ではすでに決着のついた問題である。すなわち事実と論理に基づく論争によって、慰安婦の強制連行説や「慰安婦＝奴隷」説は完全に破綻してしまっている。

しかし、論争で負け続けてきた人々にとっては、大いにフラストレーションがたまる状況だった。それは中野氏にもあてはまるだろう。このため、一定の企みをもって教え子の出崎らとプロジェクトを作り、卒業製作と見せかけて商業映画に転用し、世界に拡散して「リベンジ」を始めたのだろう。それが『主戦場』の狙いだったわけである。

出崎はいろいろなメディアに出演して「彼ら（筆者ら）はこの映画に出て喜んでいる。内容が気に入らないから、裁判を起こしているのだ」とうそぶき、自分がまるで英雄であるかのように「表現の自由の大勝利」などと快哉を叫んでいる。しかし、大学で不正疑惑の審査が公正に行われれば、中野氏と同様に厳しい処分は必至である。

さらに付け加えておけば、山口二郎氏は巨額の科学研究費を使ったことで知られている人物である。筆者は科研費について調べたことがあるが、その実態はびっくりするくらいひどい。科研費は、文科省の外郭団体である独立行政法人日本学術振興会の科学研究費助成事業で、人文学や社会科学、自然科学まで全ての分野が対象にされる。手続きは学術振興会に申請を出し、そこが「ＯＫ」すれば文科省からお金が下りる仕組みで、審査は大学の教授たちが行っている。ただし、現在は審査員を務めていても、審査員から降りれば自分も科研費をもらう側に回る。このため、もしノーと言えば、次は自分がもらえなくなく恐れがあり、その審査は甘いというのが実情である。

驚くのは、山口教授のある科研費に関する書類には、文系の教員であってもパソコン1台130万円、周辺機器90万円などの数字が並んでいるのは当たり前で、同じ研究の1年間の旅費、交通費については研究調査のための海外渡航費１４００万円、国内交通費１５００万円というとてつもない額が5年間、毎年並んでいるのだ。そのほかにも設備費として3億円以上が記載されている。文系の研究での設備費3億円とは何に使用するのだろうか。

筆者は国連の会議への参加のためにジュネーブやニューヨークに毎年3~5回通っているが、どうすれば1500万円も使えるのか不思議である。往復にファーストクラスを利用し、1泊90万円もするようなホテルに何泊もすれば別だろうが、それほどにひどい状況なのだ。科研費は北朝鮮の学校関係者にも流れていると言われている。

山口氏は平成14年から29年に総額6億円近い科研費を取得したことが、櫻井よしこ氏や杉田水脈氏によって指摘されているが、本人は根拠のない言いがかりだと反論している。

筆者は、仲間とともにこの科研費に関し、日本学術振興会と各大学に対して情報開示請求を行い、この山口教授やその他、左翼系反日教授らの科研費の明細を大量に入手している。

今後、この明細を詳細に調査し、追求していこうと考えている。何故なら、これらは我々が支払っている税金からの支出であり、国民にはそれを監視する義務があるからである。

## 「表現の自由」とすり替えたNHK

『主戦場』をめぐっては、川崎市の映画祭（KAWASAKIしんゆり映画祭）でも問題が起きた。いったん中止が決まった『主戦場』の上映が撤回されて、最終日の2019年11月4日に急遽、上映されたのである。

映画祭をめぐってはNPO法人「KAWASAKIアーツ」が主催し、毎年、市や市教育委員会などが共催している。開催費用約1300万円のうち約600万円を市が負担する。NPOには映画祭の実行委員会があり、ボランティアなどを含む70人が上映作品を投票で選んでいるが、そこに『主戦場』が入っていた。

市側はこの映画が提訴されていることを知り「裁判になっているものを上映するのはどうか」と主催者側に伝えたが、「最終的な上映の判断はNPOにある」とした（これは筆者も川崎市に確認した）。

一方、NPO側は「あいちトリエンナーレ事件」のような現場での混乱やリスクを懸念し、上映中止を決めた。

それが一転したのは、10月30日に開催された「しんゆり映画祭で表現の自由を問う」と題したイベントだった。2時間以上に及ぶこの集会で、映画祭実行委員会の中山周治代表が激しいつるし上げにさらされ、上映決定を呑まされたのだ。この集会には出崎や配給会社『東風』の代表社員もかかわっており、集会に参加して発言していた。

このためケント・ギルバート氏、藤岡信勝氏、山本優美子氏と筆者の4人は10月31日、川崎市役所で記者会見を行い、我々の人格を侮辱し裁判になっている『主戦場』の上映中止を求めた。さらに11月1日付けで、中山代表と川崎市に対して「公開討論の場を設ける」趣旨の公開質問状を出した。我々は「表現の自由」が問題なのではなく、人格を侮辱する映画を上映することを問題として指摘したのだ。

しかしこの一連の騒ぎを、NHKは、市が圧力をかけて上映を中止させ、「表現の自由」を侵害したかのようにすり替えて報道したのである。

NHKは11月8日放送の「おはよう日本」で、「市民映画祭で『上映中止』〝委縮する〟表現の自由」と題して次のように報じた。

「川崎市で開催された市民映画祭で予定されていた1本の映画が上映中止になり、大きな議論が巻き起こりました。主催者が中止を決めた背景には先月閉幕した国際芸術あいちトリエンナーレで一部の展示内容に脅迫や抗議が集まったためでした。取材を通して見えてきたのは表現の自由をめぐって少しずつ委縮していく現場の実態です」

そして、川崎市の担当者のインタビューが映し出されるが、担当者は「(上映を)決定するのは主催者なのであとはご判断をお任せしますということ」と述べて、市による圧力はないことを明らかにしている。一方、NPO側の中山代表に関して、NHKは「私たちの取材に、中止の背景には川崎市からの運営費が支払われなくなる不安があると認めました」として、中山氏が「我々の活動がどう査定されるかわかりません」「川崎市の言ってきたことは重く受け止めています」と発言する場面を映し出した。さも市がNPOに圧力をかけてきたかのような印象が演出されているのである。

また番組では10月30日に開かれた集会を報じ、『主戦場』の上映には一般市民からの強い思いがあるかのような声を紹介している。

そこで筆者は、BP(放送倫理・番組向上機構)に次のような抗議を行った。

「川崎市の『しんゆり映画祭』に関しての報道で、双方の意見を報道すべきところを、一方的な報道となっていた。また、川崎市に対する無用な攻撃にまで発展することになった。KAWASAKIアーツはいったん、候補として上がっていた『主戦場』の上映を訴訟が進行しているという理由で中止した。いったん、中止になった上映だが、映画祭に出品していた他の映画監督や活動家らが『表現の自由』『市による検閲』をたてに主催のＫＡＷＡＳＡＫＩアーツの代表の中山氏１人に２時間以上にわたり怒号を浴びせかけ、中山代表は最終的に上映中止を撤回した。

しかし、ＮＨＫはその前後で、訴訟の原告や記者会見や抗議文の交付なども取材していながら、その件は一切、報道せずにいかにも川崎市が検閲をして圧力をかけ続けたという体裁の番組を作った。争いがある場合は双方の意見、双方の状況を公平に取り扱うべきところ、一方を完全に隠してミスリードしていた。これは放送法に違反する行為であり、調査をしていただきたい。

映画自体が人権侵害と詐欺事件、著作権侵害など様々な法律に違反して製作されているにも関わらず、一切報道しないのは、事実の歪曲に他ならない」

さらにつけ加えれば、ＮＨＫは番組で次のような主張も展開していた。

「表現の自由を守る」ことに積極的に取り組んでいる自治体のケースがあるとして、倉敷市の在日コリアン歌劇団を例にひいているのである。

ナレーションでは「在日コリアン歌劇団による公演が毎年、行われてきたが、13年前に市は施設の使用許可を取り消したことがあった。右翼団体による妨害活動が激しく、施設の管理に支障があるという理由からだった。公演の実行委員会は、市の処分の撤回を裁判所に申し立てた。裁判所は実行委員会の訴えを認め、市の決定は表現の自由を制約し重大な損害もたらすと指摘した」などと説明する。そして倉敷市はその後、「安全確保のために施設全体を貸し切りにしたり、実行委員会と警察が協力し、警備にあたったりして開催を続けています」と述べるのである。

しかしながら、このコリアンの団体とは「金剛山歌劇団」という北朝鮮の団体である。映像に「金剛山歌劇団倉敷公演」のパンフレットが大きく映し出されているが、これは金日成主席が命名し、チュチェ（主体）芸術を広めるという思想的使命を帯びた「海外総合芸術劇団」なのだ。さらに13年前（２００６年）といえば、北朝鮮の弾道ミサイルが相次いで発射され、地下核実験が行われた年である。日本に脅威が差し迫っている時に、市がこうした関連団体の動向を警戒するのはもっともなことであり、使用許可を取り消す措置は「表現の自由の侵害」などとは全く関係がないはずである。

これに対して「表現の自由を守るには相応の覚悟とやはり毅然とした対応が必要になるということですね」などと、見当違いな論評や報道を安易に行うのは、ＮＨＫがいかに「偏向した体質」であるかを如実に示す証左であろう。

当然、ＢＰＯは、筆者の告発に対してだんまりを決め込んでいる。このＢＰＯが所在するのはＮＨＫのビル内である。ＢＰＯ自体、放送各社が自治をしているという体裁を作り上げて、政府による介入を防ぐ目的で設立されている団体であり、実際には、仲間内で構成する身内に非常に甘い団体と言えるだろう。

## 左翼は嘘をでっちあげる

このようにHNKも出崎を含む左翼も、レッテル貼りを行い、言葉や映像を切り取って事実の歪曲を平然と行う。そして、弱者を利用して被害者になりすまし、ビジネスを展開するのである。

歴史的にみても左翼はきわめて悪質な虚偽を作り上げてきた。

2017年に発刊され、全米で注目された『ザ・ビッグ・ライ（The Big Lie）』の著者、デニッシュ・ドゥスーザ氏はテレビのインタビューで、アメリカの白人至上主義団体「KKK」（クー・クラックス・クラン）は民主党の国内テロ武装集団だったが、左翼は「『KKK』は右翼だ」という嘘をでっちあげたと指摘している。そして左翼リベラル派がトランプ大統領をナチス的だとするのは「真っ赤な大嘘」であり、民主党リベラルこそがナチスとただならぬ関係にあったと暴露している。

同氏はこう述べる。「ヒトラーは『国家社会主義者』だった。ナチスの正式名称は『国家社会主義ドイツ労働党』である。ムッソリーニもマルクス主義者だった。つまり本物のファシストは左翼であり、彼らは米国の左翼と密通した」

では何故、左翼はこうした捏造を行ったのか。第二次大戦後、ファシズムは完全に否定された。その後、進歩主義者が米国の学界やメディアを支配するようになり、これまで彼らが行ってきた記録資料を「隠蔽したほうがいい」と判断したからだ。つまり左翼にとって、これは〝不都合な真実〟であったために、「我々とこれらの恐ろしいつながりが若者に知られては困る」「左翼側のものだったファシズムを右翼側へなすりつけよう。そうすれば、これからは我々の敵にファシストだとレッテルを貼って貶めることができる」と考えて、策謀をめぐらせた。そしてそれが大成功したというわけである。

フランクリン・ルーズベルト大統領（民主党）はムッソリーニのファンで、共産主義との「共謀者」だった。ウィルソン大統領（民主党）も社会主義やファシズムに感化されていたのはよく知られている。

衝撃的なのは、ナチスが大量殺戮計画の「ある部分」について、米民主党を直接お手本にしたという〝事実〟だ。ドゥスーザ氏によると、1935年にナチスが制定したユダヤ人を排斥する「ニュルンベルク法」は、人種隔離や異人種間の結婚を禁じた米国南部の民主党の法律からヒントを得たもので、「黒人」と書いてあるところを「ユダヤ人」にしたのだという。

左翼リベラルたちの根源にあるストーリーは、「ファシストはトランプ支持者で右翼だ」とでっち上げ、自らは「反ファシズムの衣」をまとって、保守勢力を追い落とすことにある。これが左翼の実体なのだ。

『主戦場』の最後の場面で出崎は、「安倍首相や修正主義者たちは再び女性（慰安婦）を沈黙させようとしている。現状はより深刻になりつつある。被害者を尊重し忘れないことは正義の実現への希望でもある。それは人種差別、性差別、ファシズムと闘うということだ」などとナレーションで述べている。しかし、これこそ左翼が得意とする「すり替え」なのである。人種差別も性差別もファシズムも、全ては彼ら自身のことを指すのである。

**付記**

2019年5月30日に発表した共同声明の要旨は次通り。

映画「主戦場」の上映差し止めを求める――上智大学修士課程卒業制作を擬装し商業映画を制作した出崎幹根の違法行為について――

①商業映画への「出演」は承諾していない

私たち7名と杉田水脈衆議院議員は映画の中で、慰安婦強制連行説や「慰安婦＝性奴隷」説などに反対する立場の人物として「出演」させられている。映画館では700円で販売している映画の「公式プログラム」にも、顔写真入りで私たち8人の名前が掲載されている。これは許可なく他人の映像や発言を営利目的に利用した、道義的に決して許されない行為である。さらに、法的にも、撮影時に結ばれた合意事項を破った債務不履行という違法行為を犯しており、他人の肖像権を侵害し、名誉を毀損し、さらに映画が著作権を侵害した点では悪質な不法行為を構成するものでもある。私たちはこの映画の「監督」である出崎幹根と関係者の責任を、法的手段も含め徹底的に追及する。

②「大学に提出する学術研究」だから協力した

上智大学の「大学院生」の名刺を持ち歩いた出崎幹根が、他2名の院生を連れて私たちの前に姿を現したのは、2016年の5月から翌年の2月までの期間だった。

出崎は取材の目的を次のように説明していた。

「これは学術研究でもあるため、一定の学術的基準と許容点を満たさなければならず、偏ったジャーナリズム的なものになることはありません」「私が現在手がけているドキュメンタリーは学術研究であり、学術的基準に適さなければなりません。よって、公正性かつ中立性を守りながら、今回のドキュメンタリーを作成し、卒業プロジェクトとして大学に提出する予定です」（出崎から山本優美子へのメールより）

つまり、出崎は、インタビューの目的は、上智大学大学院修士課程を修了するための「卒業制作」（出崎の言葉）であり、学術研究として作品は「大学に提出する」と述べていたのである。同様の説明を8人の全てがメールや口頭で聞いている。だからこそ私たちは、出崎のインタビューを受けることを承諾したのである。

インタビューを受けた私たちが迂闊で警戒心がなかったという批判がある。批判は甘んじて受けるとしても、善意から学生の勉強に協力したのは、日本が信頼社会であることによるのだ。私たちは「人を見れば泥棒かスパイだと思え」といった教育は受けていない。学生の卒業研究だと言われれば、本当に学生かと身分を疑うことはせず、無報酬でも一肌脱いでやらなくてはと思うのが日本人なのだ。逆に、この事例の副作用で、今後真に学びたい学生の研究活動が阻害される事態を生じることが懸念される。

ただ、このように書くと、私たちが意図に反する映画に利用されたのは、私たちに体現された日本人の「お人好し」の性格によるものであると考えられがちだが、それは必ずしも当たらない。何故なら、アメリカ人であり、かつ弁護士の資格をもつケント・ギルバートまでが、出崎のプロジェクトに全く疑いをもたなかったからだ。それ程までに他者を騙す才能が出崎には備わっているということかも知れない。彼が二度とこの悪事を繰り返すことが出来ないようにすることは、日本社会を守るための私たちの義務でもあると考える。

出崎の目的が商業映画として一般に公開することにあったことを知っていたら、私たちがインタビューを受けることは決してなかった。実際、その後の経過と完成した作品の内容は、出崎の言葉をことごとく裏切るものだった。

③ 合意書の義務を履行せず

取材を受けた8名全員が、撮影された映像に関する合意書にサインした。私たちの多くは、合意書について特別の違和感も関心もなく、一種のセレモニーとしてサインしたといえる。例外は藤木と藤岡で、藤木は出崎の書いた文面が「取材者側の権利のみをうたう偏った内容」であるとして、取材を受ける側の権利も書き込んだ代案を出し、出崎との協議ののちいくつかの条文を入れさせた。

取材後、出崎からの音信は途絶えていたが、出崎から藤木にメールがあったのは、それから2年も経った2018年9月30日のことであった。9月4日から始まった「釜山国際映画祭」で出崎の作品を公開するという。藤木は当然ながら合意書に基づいて、「公開前に」見せることを求めた。これに対し出崎は、「残念ながら、リークの恐れと著作権の関係で見せられない」と開き直って、合意書を無視することを公然と宣言したのである。藤岡にはこれらの連絡すら全くなかった。要するに、合意書を出崎は初めから守るつもりなどなかったのである。これは合意書で契約された債務の不履行に当たることは明白である。

④ 本質はグロテスクなプロパガンダ映画

こうした債務不履行の経過に加えて、出来上がった映画自体も、出崎が私たちへの依頼の段階で述べていた約束とは正反対の、学術研究とは縁もゆかりもない、グロテスクなまでに一方的なプロパガンダ映画であった。

そのことは、映画の冒頭ですぐに明白になる。映画は藤岡らの細いタテ長の顔写真を並べてくっつけた映像を合成し、「彼らは歴史修正主義者（Historical Revisionist）」で、「慰安婦制度の存在は認めているが、現在ある歴史認識を否定し、修正しようとしてたたかっている」という英語のナレーションが入る。

日本語で「歴史修正主義」と訳された言葉を耳にしても、あまりピンとこない日本人が多いかも知れない。しかし、英語で〝Revisionist〟といえば、火つけ強盗よりまだ凶悪な人物、ユダヤ人を大量虐殺したホロコーストを否定するような人非人、倫理観念の全くない人間性を失った人間、という意味になる。出崎は、英語圏でこの映画が上映された時の効果を十分に計算した上で、自分の肉声で、私たちのことを、こういうカテゴリーに属するクズのような人間だと、監督である立場を乱用し「烙印を押した」のである。

出崎は、取材の依頼をする際には、こうも書いていた。

「慰安婦問題をリサーチするにつれ、欧米のリベラルなメディアで読む情報よりも、問題は複雑であるということがわかりました。慰安婦の強制に関する証拠が欠落していることや、慰安婦の状況が一部の活動家や専門家が主張するほど悪くはなかったことを知りました。私は欧米メディアの情報を信じていたと認めざるを得ませんが、現在は、疑問を抱いています」

これをまともに読めば、映画のナレーションの基準では、出崎自身も〝Revisionist〟に分類されるのではないか。もちろん、上記の言葉は私たちをインタビューに引き出すための策略であったことはいうまでもない。

⑤ディベートの原則を完全に逸脱

映画はディベートの本質を逸脱し、それとは正反対の手法でつくられている。

第1に、ディベートには、「立論」という段階があるのだが、この映画では、特に強制連行などを否定する側には、「立論」の機会が全く与えられていない。「立論」とは「基調演説」にあたるもので、「結論」を主張するだけでなく、その結論を裏付ける「証拠」と、証拠から結論にいたる「論理」の筋道をクリアに述べることが求められる。両サイドにこの「立論」の機会を与えなければ、それぞれのサイドの主張の核心が提示されず、その議論は単なる言い争いであってディベートではない。肝心なことは、「立論」を述べるためにはある程度のまとまった時間が必要だということである。ところが、映画では1分に満たない、時には数秒間の発言で「結論」だけを切り取って使う手法が濫発され、「立論」の機会が少しも保障されていない。

第2に、ディベートには「反駁」とよばれる段階があり、お互いに相手の議論に対する反論を展開する。ところがこの映画には、このディベートに不可欠な「公平の原則」が完全に踏みにじられている。この映画は論争を装っているものの、ディベートとは無関係のプロパガンダ映画になっている。これはこの映画が、観客を宣伝・扇動の対象としてのみ見ており、知性をもった理性的な存在として扱っていないことを意味する。

第3に、ディベートでは双方の討論者の数は、当然同数でなければならない。ところが、この映画では、「慰安婦=性奴隷」派18人に対し、否定派は8人と、前者が後者の2倍以上になっている。さらに、冊子に載っていない映画の登場人物の数を入れると、その差はもっと広がるだろう。

⑥目的は保守系論者の人格攻撃

この映画の本当の狙い・目的は何かと言えば、慰安婦問題で発言している保守系論者の「人格攻撃」「誹謗中傷」にあると言って差し支えない。すでに述べたように、慰安婦論争は日本ではすでに決着のついた問題である。事実と論理に基づく論争によって、慰安婦の強制連行説や「慰安婦＝奴隷」説は完全に破綻してしまったのである。

⑦ 出崎と関係者の責任を問う

上記の簡単なスケッチからだけでも、この映画の悪質な本質が浮き彫りになっていると考える。私たちは次のことを要求し、その線に沿って今後行動する。出崎は私たちを欺いて映画に「出演」させた。このことは私たちの肖像権を侵害している。また、映画の内容は私たちの名誉を毀損しており、トニー・マラーノの著作権を侵害している。出崎の違法行為・不法行為を法的に追及する。出崎と配給会社東風には、直ちにこの映画の上映の中止を求め、映画の一切の宣伝物から、私たちの名前や顔写真を全て削除することを求める。

今回の事例は、大学の名を利用した詐欺行為とも言えるもので、このような違法行為の根拠地を提供する結果となった上智大学の責任も免れない。出崎の指導教官は中野晃一教授であることが本人の口から表明されており、同大の「研究活動上の不正行為に関するガイドライン」にも照らして、今後その関与の状況と責任を明らかにして行く。

国連《こくれん》で遭遇《そうぐう》した、韓国《かんこく》のトンデモ弁護士《べんごし》とのやり取《と》りを、筆者《ひっしゃ》の盟友《めいゆう》である漫画家《まんがか》はすみとしこ氏《し》が漫画《まんが》にしてくれた。

## 現在の慰安婦問題の状況

慰安婦問題は、1991年頃から日本の弁護士であった福島瑞穂氏（現参議院議員）や、高木健一弁護士らが火を点け、その後の戸塚悦朗弁護士らの国連での活動で、「慰安婦＝性奴隷」という誤った認識が世界に拡散された問題である。

また、1987年に共産党員であった吉田清治（元日本軍軍人）が、お金のために書いた空想本『私の戦争犯罪』の内容が、朝日新聞などの報道により、いかにも事実であるかのように語られ始めた問題でもある。

そして、日本政府が性善説でこの問題に対応した結果、日本は20万人の朝鮮人を性奴隷にしたという話が作り上げられたのだ。余談であるが、この慰安婦問題に関するデッチ上げの主要な役割を果たした高木健一弁護士、戸塚悦朗弁護士、朝日新聞の当時の記者である植村隆氏などの配偶者がみな韓国人であることは偶然なのだろうか。

この本の執筆の最終段階、2020年5月7日に、我々が言い続けていたことを裏付ける出来事が韓国で起きたことを、韓国在住の韓国人の友人が電話で連絡してきた。

アメリカ合衆国下院121号決議（慰安婦問題に関する日本政府への非難決議）や、天皇陛下に対して有罪判決を下した女性国際戦犯法廷（模擬裁判）など、国際社会への発信活動において中心的役割を果たし、2017年にトランプ大統領が韓国を訪問した際には、トランプ大統領に抱き付いたことでも知られる自称元慰安婦の李容洙《イヨンス》氏が、韓国大邱市で突然、記者会見を開いた。そこで、「学生たちが尊いお金と時間を使っているのに、集会は憎悪を教えている」「学生たちに良い影響を与えず、集会はなくすべきだ」「集会への参加学生からの募金はどこに使われるかわからない」と語り、4月の総選挙で国会議員に初当選した尹美香《ユンミヒャン》（＝元挺身隊問題対策協議会代表）が「李さんから支持されている」と韓国メディアに語ったことを「全部でたらめだ」と否定したのだ。さらに「募金・基金は慰安婦被害者のために使うべきだが、そのように使ったことがない」と発言したのだ。

他にも「自分は支援団体に言われる通りのことを発言し、そのせいで攻撃を受けた際には、助けてくれなかった」とまで言った。

これを受けて、尹美香は、李容洙が実際には慰安婦ではなかったということを匂わせる「李の当初の証言では、『私は被害者ではなく、私の友だちが慰安婦だった』としていた」と応戦したのだ。

李容洙は、さらに5月25日にも記者会見を開き、元挺対協（韓国挺身隊問題対策協議会＝現日本軍性奴隷制問題解決のための正義記憶連帯＝正義連）の代表であった尹美香が、「慰安婦問題を30年間、利用してきた」「検察が明らかにするだろうが、慰安婦を利用したことは到底許されず、罰を受けなければならない」と語った。

そしてその後、正義連の事務所に家宅捜索が入ったのだ。

この自称元慰安婦である李容洙氏は、１９４４年に慰安婦として連れていかれ、「１９４７年まで慰安所で慰安婦として働くことを強制され、電気棒などで拷問も受けた」と語っていた。第二次世界大戦後、２年間も日本軍の慰安婦をしていたわけだ。このようなあり得ない証言を数々してきているので、ニセモノ説も絶えなかったのだが、やはり、生きるために女優を演じていたとすれば、それは、老人の自殺大国である韓国国内の政治問題だと言えるだろう。嘘を吐いて女優に徹するか、自殺するかの過酷な選択をこの老人たちにさせているのが、韓国政府なのだ。

そして、この尹美香は、今までに挙がっている罪状もさることながら、筆者が言い続けてきた「老人虐待」で裁かれるべきである。

80代後半から90代の老婆を、片道10時間以上も飛行機に乗せて、米国や欧州へ連れ回し、日本叩きをする女優を演じるよう強制してきたからだ。挺対協は芸能プロダクション、自称元慰安婦たちは女優と言い続けて来たことが、こうして暴かれたわけだ。

この記者会見の内容を聞いてすぐに、尹美香は「反日無罪」で罪に問われないかも知れないと一瞬頭をよぎったが、筆者の30年以上にもわたる韓国との付き合いから、ちょっと待てよ、と思い始めた。これは、1人の人物が慰安婦を利用して私服を肥やし、多額のお金を得ていた問題だ。韓国人のキャラクターから考えると、儲けているヤツは悪人なので、徹底的に叩くのではないだろうか。成功者を褒めるよりも成功者を引きずり下ろし、「溺れた犬は棒で叩け」ということわざがある韓国だ。今後、尹美香は再起不能なまでに叩きのめされることになるであろうと筆者は予測する。朴槿恵《パククネ》前大統領の末路が、まさに尹美香の今後を予言していると見ている。

ただ、我々が、注視しなければならないのは、韓国では今回の一件については、慰安婦問題そのものよりも尹美香の寄付金の不正流用のみに焦点が当たっていることである。

詐欺映画『主戦場』の裏で糸を引き、自らも長時間この映画に登場している上智大学の中野晃一教授ですら、「朝鮮半島で日本軍による慰安婦狩りなどはなかった」と断言している。慰安婦問題に関して、筆者を含む多くの保守派の論客は一次資料を発掘し、それに基づいて、その資料がどのようなものなのかを解説しているに過ぎない。一方、慰安婦を支援している団体や個人は、本当に慰安婦だったかどうかもわからない今回の李容洙のような自称元慰安婦の証言や、後から作った映画などを資料として説明しているのだ。

一般的に裁判は「証拠主義」である。証拠がないものに関しては罪に問えない。反日左翼日本人、慰安婦を支援する韓国人や団体は、人々に現在の尺度で過去を見るように仕向けているのだ。一番簡単なのは、過去を知らない子供たちの洗脳だ。そして、韓国という国家が子どもたちに日本への憎悪を植え付け続けているのだ。

今の尺度や常識で過去を見れば、おかしなことはたくさんある。前述したが、例えば、丁稚奉公制度もそうだ。これを反日左翼は「人身売買だ」と主張している。当時の生きるための知恵である社会制度を、現在の目で見せて人身売買だと言い、それを利用して日本叩きの材料にするのだ。

日本政府、外務省の初動の間違いが、ここまで国際的に問題を大きくしてきた。これに関しては、安倍首相になってからその対応は大きく変化しており、筆者も評価するところだ（2015年の日韓合意には、今でも反対の立場であるが）。

筆者がこの慰安婦問題に関わり始めて一貫して言ってきたことのひとつで、『主戦場』のインタビューやニューヨークでの記者会見でも語ったことに「元慰安婦たちには感謝すれど憎悪の念などは一切ない」という思いがある。出崎は、筆者らを悪者にするために映画を作ったのだろうから、そのような発言は映画の中では当然カットされているが。慰安婦たちは戦地の一歩手前まで行き、今日、明日、命を落とすやも知れない日本兵たちに、ひと時の快楽を提供し、鼓舞していた仲間だったのだ。

戦地の近くだから、大変なことや危険があるのは当然だったのだ。慰安婦たちはその危険手当も含めて高給を得ていただけなのだ。そのような元慰安婦たちを、死ぬまで利用し続けていることの韓国の支援団体の行為は、人道的に見ても鬼の所業である。

さて、この正義連や反日左翼の作り話をわざわざ映画にしてしまった出崎は、この先どうするつもりだろうか。我々の主張が正しかったことを、自称元慰安婦の李容洙が今回、図らずしも暴露してくれたわけだ。

第六章

# 国家破壊を狙う「子ども連れ去り」問題の深奥

## 突然、妻子が姿を消した

これは筆者が聞き取り調査したAさんの話である。

Aさんがある日、家に帰ったら、妻と子どもの姿がない。Aさんは妻と娘の3人暮らし。2011年のことだった。そのころ、Aさんは仕事がかなりハードで、そうした事情もあってささいなことで妻と口論するようになったという。やがて、妻は女性相談所に通うようになった。後で調べてわかったことだが、ジェンダーフリーの思想を徹底的に教えられていたようなのだ。

妻と娘がいなくなったのは年末。その日、会社が休みだったAさんは、朝、妻とささいなことで口論になった。その後、Aさんが外出して戻ってきたら、2人の姿が見あたらない。Aさんはあわてて2人を探したが、結局、見つからなかった。そして、仕事も手に付かず精神的にも衰弱していった。

妻からメールが届いたのは1週間後のこと。「娘と一緒にいます。探さないでください」と書かれていた。するとその直後、弁護士を名乗る人物から電話がかかってきて、「奥さんは離婚を決意しています」と告げられたのだ。Aさんは驚いて「妻と話し合いをさせてほしい」と言ったが、「話し合いはできません」と断られたそうだ。

それから3日後、内容証明郵便で書面が送られてきた。妻と娘は長年、Aさんから暴力を受けておびえていると。しかし、Aさんは口で叱ったことはあるにせよ、DV（ドメスティック・バイオレンス）行為をしていたことなどなかった。弁護士には何度も電話して話し合いを求めたが、「話し合いの余地はありません」と突き放され、妻子とは連絡が取れない。Aさんはその時、何かおかしいとは思ったが、結局、どうすることもできなかったのだ。

それから約1年後、Aさんは娘の通う学校を突き止めることができた。どうしても娘の居場所を突き止めたいと思い、必死で探したのだそうだ。学校は、妻の実家の隣の県にあった。Aさんは、意を決して娘が通う小学校へ向った。

直接、学校に出向いたのは、ほかに娘に会える方法がなかったからだ。行政も警察も、居場所を教えてくれることはなかった。面会もさせてもらえなかったのだ。そのために、こちらから会いに行ったのだという。

校門の前で待っていると、下校する娘を見つけることができた。Aさんは「お父さんだぞ」と声をかけた。娘は小学校6年生になっていた。1年ぶりの再会だった。「心配していたぞ」と言うと、娘は笑顔で「うん」と頷いたのだが、「お母さんのところに行って話し合いをしよう」と言うと、何も言わずに涙を流したそうだ。

娘の心情は分からないが、Aさんと妻との板挟みに困ったのではないだろうか。しばらくすると、Aさんと娘のところに小学校の校長先生と担任の教師がやって来た。どうやら、涙を流している娘を見て、下校中のクラスメートが連絡を入れたようだった。

Aさんは学校で先生方と話をした。娘は別室にいたのだが、しばらくすると警察が来た。そこで、警察署に行って事情を説明した。警察官は話を聞いて理解を示してくれたというが、その後、また娘に会うことができなくなってしまったそうだ。

小学校の校長先生とは、その後も連絡を取り合った。そこでわかったのは、その後、娘が転校したという事実だった。娘は中学校に進んだものの学校には行かなくなり、その後、不登校になってしまったのだ。

妻側としては、偽りのDVで行政の支援措置を受けているわけだから、逃げなければ辻褄が合わないと思ったのだろう。DVをしていたAさんが直接、娘に会いに来たので転校した、という筋書きを作ったのだと思われる。Aさんはこういう形で娘を巻き込みたくなかったと言う。Aさんが小学校の校長先生と話をした際、絶対に転校させないでくださいと伝えていた。校長先生は、娘が転校することを嫌がっていたことも、教えてくれたそうだ。

Aさんは、和解離婚をしようかと考えるようになった。離婚が成立すれば、娘は当初は実家に帰るかもしれない。そうすれば、娘はそこから学校へ通うことができるかもしれない。近くにいる親戚が、娘のサポートをしてくれるかもしれないと思ったからだという。もう1つの理由は、和解離婚すれば、娘との面会の可能性があると考えたからだ。今のままでは、いつになっても娘と面会することができない。

Aさんは、裁判所に交流審判を申し立てた。すると、妻側は娘の診断書を出して、「精神障害で会えない」と伝えてきたそうだ。これは、連れ去り弁護士の常套手段とも言えるものだ。精神障害を理由に子どもに合わせようとしない。何故そうまでして合わせないのかというと、嘘がばれるからだと考えられる。Aさんが本当にDVをしていたのならともかく、AさんはDVをしていないのだ。叱ったことはあっても、暴力をふるったことはない。しかし、Aさんが子どもと面会すると、向こう側にとって不利になる事実が露見する可能性がある。妻はそれを恐れて、子どもとの面会を遮断しているのではないかとAさんは考えている。

## 連れ去りに絡む弁護士

今、日本で深刻な問題になっているのが、子どもの連れ去りだ。ある日突然、あなたの妻や夫

子供の連れ去り問題の被害者のための集会（笹川会館）で、この問題の根本に関する話をする筆者。

子供の連れ去り問題の被害者へのセミナー会場風景。麗澤大学大学院学校教育研究科特任教授の高橋史朗氏と筆者らが、この問題を解説し、法律的な問題点や対処方法などに関する説明を行っている様子。

が子どもと共に消えて、音信不通になったらどうなるだろうか。何か事件に巻き込まれたのか、変な宗教の被害者になったのか、どこかで事故にでも遭っているのか、車ごと海に転落したのではないか――など、様々な最悪のシナリオが頭をよぎるはずだ。

しかし、DVが理由の場合は、警察に捜索を依頼しても、市役所に行っても、子どもが通っていた保育園に行っても、皆、まともに取り合ってはくれない。

仕事も出来ずに、半狂乱になりながら探し回った挙げ句、徐々に「何かおかしい」と気が付くことになる。それは、警察が「捜索願を受理しない」という状況に直面したあたりからだろう。

ここで、ようやく「もしかしたら、自分はDVの加害者になっているのかも」と、勘が良い人なら気が付くことになる。連れ去られて1～2週間の頃だろう。しかし、その間は仕事ができないし、精神的にもとてつもないダメージを受ける。最悪の自殺を選んだケースまである。

妻側が女性相談窓口などにDV被害の申告を行うと、実際には夫によって身体的な危害を加えられていたことがなくても、警察や裁判所の取り調べを受けることもなく、一方的に夫側には「DV夫」というレッテルが貼られる。一度、このレッテルが貼られると、妻や子どもは公権力によって、「居処隠匿」されてしまうのだ。

これにより、安心して子どもを連れ去り、夫に場所を知られることもなくなる。

妻側の浮気を隠蔽する場合にも、この手法がとられるケースが数多くある。多くのDV事件では、相談機関などは、被害者であると申告する一方からの意見しか聞かないのだ。相談機関は、様々な女性相談窓口や市民団体、警察など。これら全てが、女性側からの一方的な話しか聞かず、男性側からは聴取しない。男性側は女性の主張に対して、一切の反論もできない男女差別の不平等な状況に置かれている。

現在の制度では、警察は明確な身体的な暴力がない限り関わらない。「民事不介入の原則」があるからだ。

また、驚くなかれ、現在の日本の法運用では、連れ去ること自体には違法性を認めていないのだ。海外から〝合法の誘拐〟とまで非難されるこの法運用は、筆者が、子どもの連れ去り問題について最高裁判所事務総局家庭局幹部と直接面談した際にも、当然のごとく明言されていた。しかし、連れ去られた側の親が、子どもを連れ去った親から連れ戻すと、刑法224条「未成年者略取及び誘拐罪」に問われ、多くの場合、3月以上7年以下の懲役の実刑、「住宅侵入（不法侵入）罪」で3年以下の懲役、10万円以下の罰金を受けることになる。この場合、子ども自身が連れ戻した親と一緒に住みたいという意思表示をしていても、裁判所はその声を徹底的に無視するのだ。

子どもを連れ去った後、一定の期間が経過している場合、裁判所は「継続性の原則」を判断の軸に置く。つまり、連れ去ってある一定期間、子どもが問題なく保育所や学校に通っており、身体的にも虐待を受けていないような状態であれば、現状を維持するということだ。そして、ほとんどのケースにおいて、連れ去った側に「継続性の原則」が認められるのだ。

このため、一度、子どもを連れ去られたら、ほとんど取り返す手段はない。

ここに巣食うのが悪徳弁護士たちだ。この弁護士たちは、裁判所における法運用を悪用し、離婚を考えている親に、子どもを連れ去るように進言している。たとえばウェブサイト上に、「子どもを連れ去れば確実に親権が取れます」などと、片方の親の同意なく、子どもを連れ去ることを推奨している。そして、「国連のECOSOCステータス（経済社会理事会認定特別協議資格）」を持っている人権NGOに所属する弁護士たちも、この子どもの連れ去りに加担しているのだ。

この運用を変えない限りは、子どもの連れ去り被害も、悪徳弁護士による「連れ去りビジネス」も減ることはない。簡単に言えば、片方の親に子どもを連れ去らせて、ある意味で人質として、もう片方の親に対して子どもの養育費などの金銭を要求するというのが、悪徳弁護士にとって、安定的な経済的利益に繋がる「ビジネスモデル」になっているのだ。

悪徳弁護士たちは、一方の親に子どもを連れ去るように進言し、連れ去られた側の親に対し、養育費と婚姻費を請求する。この養育費や婚姻費は一旦、弁護士の銀行口座に振り込まれ、そこから毎月、10%~30%が弁護士の手数料として差し引かれる。子どもが20歳になるまで差し引いているケースもあるのだ。

本来、養育費は子どもの養育のために支払われなければならないものであり、弁護士が中間搾取する性格のものではないはず。婚姻費に関しても同様である。

しかし、日弁連は2016年11月、「養育費の現行表は著しく低く、生活水準に見合った額ではない」などとして、月額の支払いを現行の1・5倍程度とする「新算定表」を独自に策定した。連れ去りを指南する悪徳弁護士たちは、養育費などの算定基準が変わり、金額が上がれば、養育費からピンハネできる額も増えるため、算定割合を上げようとしていると勘ぐりたくなる。

離婚弁護士たちは、子どもを連れ去れば親権が確実に取れるなどと語って離婚を勧め、その結果、貧困母子家庭を大量生産しているのだ。

## 水に落ちた犬は棒で叩け

「人権派弁護士」「国際人権NGO」などを名乗っていながら、彼らは子どもの人権や連れ去られた側の親の人権に関してはダンマリを決め込んでいる。何故ならば「人権派弁護士」こそが、子どもの連れ去りに加担している側だからだ。自分たちの経済的利益のために、人権を都合のいいように利用しているだけで、本当の意味での人権侵害にはいささかの関心もないのだろう。

ある例を紹介しよう。日本に住むキューバ人女性から依頼があり、私は聞き取り調査を行った。彼女は日系3世の在日ペルー人と結婚し、女の子を授かったそうだ。ところが突然、夫から無一文の状態で家を追い出され、子どもも海外に連れ去られたそうだ。やっとのことで、英語教師の仕事に就いたものの、そこに通う電車賃にも困り、真夏の暑い中を汗をかきながら、何駅も歩いて通勤していたという。しかし、最初の給料がもらえるのは約2カ月先で、途方に暮れている状態だった。

彼女は、自分の住んでいる街の市役所やキューバ大使館、そして、日本司法支援センターの「法テラス」へ相談した。ちなみに「法テラス」は「国によって設立された法的トラブル解決のための『総合案内所』」と広告で謳っている法人である。

彼女は、15万円ほどしか所持金がなかった。「法テラス」に行って弁護士に相談すると、その弁護士が「力になりましょう」と言ったそうだ。そこで、なけなしのお金の中から提示された13万円を支払った。手元に残ったのはわずか2万円。これで2カ月を過ごさなければならない悲惨な状況に追い込まれたのだ。

さらに問題なのは、受任した弁護士が、夫に対してメールを1通、電話を1回掛けただけで、この13万円分の仕事は終わったので、継続する場合は、追加料金が必要だと通告してきたことである。

筆者はこの相談を受けた時点で「法テラス」という名称が出てきたので、「これはマズい！」と思ったのだが、案の定だった。「法テラス」は、連れ去り側であると言っても過言ではないくらいに、悪徳弁護士の集客窓口として利用されている団体なのだ。要するに、この依頼者の「敵の組織」であるともいえる。この女性は、「敵」に対して、なけなしの13万円を支払ったというわけだ。

まさに、「水に落ちた犬は棒で叩け」というある国のことわざそのものだ。これが、悪徳弁護士の手口なのだ。

## 裁判官も例外ではない

一方、裁判官もまた同様だ。

民法766条が2011年に改正された。そして、離婚する際には「面会交流」について、取り決めをすることを明示し、その際に「子の利益を最も優先して考慮しなければならない」と規定している。

しかし、裁判所はこの立法趣旨を無視して「継続性の原則」を使い続けているのだ。ある総務省の官僚が子どもを連れ去られたケースでは、家庭裁判所で「寛容性の原則」（子の面会交流を積極的に考えている親が親権者になることが子の福祉に寄与するとする考え方）に基づき親権を獲得したにもかかわらず、最高裁により判決を覆され親権を奪われたのだ。そして、その際に利用されたのが、まさに「継続性の原則」だ。

その総務官僚は、「月2回以上、もしくは年に20日」の面会交流を認められていた。彼は調停により、長女、次女そして長男の親権も定めて元妻と離婚した。調停で決められた事項は、裁判所のお墨付きのハズである。

その後、養育費として給与の半分もの額を元妻に渡していたにもかかわらず、裁判所により、面会交流権を「1カ月に1度、数時間、夕食を一緒に食べること」に削減された。さらに、海外への転勤を機に、面会交流について「2カ月に1度、手紙を渡せばよい」との決定が裁判所から出された。長男の中学入学後、元妻からの苦情により、裁判所は、この父親の権限をさらに削減し、学校での父親と長男との面会交流の機会すら奪ったのだ。

この審判を出した裁判官は、あろうことか、退官後に総務官僚の妻側弁護士の事務所に再就職した。まさに悪徳弁護士と悪徳裁判官の癒着である。この行為は「天下り」（退職した幹部官僚を政府の外郭団体や民間企業で再雇用する慣行）と呼ばれるものだ。裁判官は、離婚弁護士を裁判で勝たせる見返りに、退職後はその離婚弁護士の事務所に再就職させてもらえるわけだ。子どもの最善の利益よりも自分の金銭的利益が大切なのだろう。

このような癒着は、別の事件でも表面化している。この事件では、担当裁判官が、子どもと分離されて会えない父親に対して、「これを受け入れれば子どもに会える」と告げ、調停案を提示した。その調停案には、月に2回の面会交流が記載してあったが、「子どもが37度以上の熱を出した場合や子どもが望まなかった場合は面会交流を実施しない」との但し書きがついていた。この条項を取り除くよう父親は裁判官に主張したが、裁判官が問題ないと主張したため、父親はこの調停案に同意して離婚した。その結果、面会交流の日が来るたびに、元妻は、この但し書きを引用し面会交流をキャンセルしたのだ。結果として、この父親は、10年間も子どもと会えていない。

その後、この裁判官が裁判審理中に妻側の弁護士に頼まれ、元妻と密かに携帯電話で直接連絡をとり、調停案を提案していたことが発覚した。元妻が裁判官に対し、子どもと元夫との面会交流をさせたくないと強く主張した際、裁判官は「調停案の中に但し書き条項を入れることで、子どもを父親に会わせなくて済む」と話したのだ。それを聞いた元妻は、納得し調停案を受け入れた。つまり、この裁判官は、但し書きが、父親と子どもとの交流機会を完全に奪うだろうことを十分に分かった上で、この父親を騙して調停案に同意させたのだ。

このような非人道的な行為を裁判官は平気で行うのだ。以上の事件は例外的なケースでもなんでもない。遵法意識や人権意識をどこに忘れてきたのだろう。

## 一度も子どもの声を聞いていない

連れ去り問題における最大の被害者は、子どもたちだ。連れ去られた多くの子どもたちは、大人の事情が理解できないために、両親と今までのように暮らしたいと言う。可愛がってくれていた一方の親や祖父母に会うことができない落胆と、保育所や学校を変わり、友だちと別れねばならないことによる精神的ストレスなどで、うつ病になったり、不登校になったりして、その後の人生が完全に破壊されてしまう。

筆者はある日、Nさんという方から、連絡を受けた。実際に私が複数回お会いしたことがある方だ。Nさんによると、面会交流の際に、子どもが「ママのところには帰りたくない。パパのところに住む」と言い、母親のところに帰るのを拒んだという。

すると、母親は子どもに国選弁護人を付けるように要求し、「人身保護請求」をした。その国選弁護人は、Nさんと子どもの住む家に聞き取りにきた。

子どもは、またも「ママのところには帰りたくない。パパとここで一緒に住む」とはっきり国選弁護人に言った。筆者もその録音を聞いている。

しかし、調査をした弁護士は、子どもの意思を完全に無視し、「このままだと子どもが母親に永久に会いたがらないから、母親の元に住まわせるべきである」と裁判所への報告書に書き、裁判所はNさんに対する逮捕状を出したのだ。

「お父さんは僕のヒーローなんだ」と言っていた子どもの目の前で、10数人の警察官が家に突入し、Nさんを羽交い締めにして、逮捕した。

子どもはそれでも母親の元に帰りたがらず、児童相談所に預けられた。

その後、嫌がる子どもを無視して、義母に「洗脳」された母親の元に返された。

ちなみに、この母親（妻）は小学校教諭、義母は民生委員、義父は保護司である。

Nさんはこう語っていた。

「昨年（平成30年）、東京家裁での面会交流訴訟により、4カ月に1度、相手方から子どもの写真を送ることと、2か月に1度、私から子ども宛てに手紙を送ることが許されることになりました。相手方から送られてくる子どもの写真は毎回ほとんど顔が見えないものばかりです。私も2

カ月に1度、子ども宛てに手紙を書いています。

次は4月1日に手紙を出す予定です。しかし、正直なところ、毎回手紙を書くことが苦痛で仕方ありません。現在の子どもの様子も分からず、手紙を書くネタもありません。当然、私からの手紙に対する子どもからの返事の手紙もありません。これ以上、こんなバカげたことを続ける必要があるのでしょうか。4月1日に手紙を書いて出そうか出すまいか、本当に悩んでいます。もし手紙を出さなかった場合、再度、面会交流等の訴訟を起こした時に、『裁判所で決められた、手紙を出すというルールを守らなかった』と言われてしまうのでしょうか。相手方が、子どもに私からの手紙を見せていないのは確実でしょう。

裁判所は裁判所内での試行的面会交流も認めませんでした。その理由は、私が子どもを連れ去る可能性があるという相手方の言い分が認められたからです。

子どもとのテレビ電話すら認められませんでした。裁判所は、もし子どもが私に会ったら『お父さんと暮らしたい』と騒ぐことが分かっているのだと思います。

平成28年8月31日に子どもの目の前で警察に羽交締めにされて連行された日から、1度も子どもの声すら聞いていません。卒園、卒業のシーズンが来ました。このシーズンは、連れ去られた親にしてみれば、地獄です。幸せそうな家族を横目に、自分はわが子の卒園式にも卒業式にも出席できないのですから」

## 防止策の策定を急げ

これが、連れ去りの実態なのだ。

Nさんは、自分の弁護士に多額の弁護士費用を払い続け、現在では生活にも困窮し、今後は弁護士も雇えない状況に陥っている。

この様な家庭崩壊をさせる裁判所、そして、人を不幸のどん底に陥れて金にしている悪徳弁護士も絶対に許すわけにはいかない。

ではどうすれば、子どもの連れ去りをなくすことができるのだろうか。筆者は次のような防止策を提起したいと思う。

1．家族で住んでいる家から、実子であろうが、一方の配偶者（一方の親権者）の許可無く別な家に移動し生活した場合は、裁判所ないし警察が、「未成年者略取誘拐罪」等、違法性を問うように法の運用ないし法律そのものを変える（※現在の法の運用では、初めに連れ去った側には何らの不利益もなく、連れ去られた子どもを元の家に連れ戻すと、こちらは未成年者略取誘拐罪に問われる）。ただし、緊急避難などもあり得るので2週間を越えない場合は適用されない。

2. 弁護士の養育費・婚姻費からの「ピンハネ」を違法とする（※現在は最長20年間、養育費から「ピンハネ」できるので、弁護士の安定収入となっている）。

3. 子どもがいる親が離婚届を出す時に「共同養育計画書」の提出を義務づける（※共同養育計画書を作成しない場合は離婚を認めないこととし、この計画書から変更がある場合は、裁判所の許可を必要とし、理由なく計画を不履行にした側には罰則・制裁を科す）。

4. 親権の定義に義務を明記する（※親権とは親の権利であるが、権利の裏側には常に義務が発生する。この義務の1つに別居親より子どもに会いたいとの申し出がある場合は、「年間×日、1回に×日を限度として会わせせなければならない」との義務を課す）。

5. DV認定の運用を変更する（※現在は、一方が証拠など一切無くても「DVを受けた」と言えば、他方は自動的に加害者にされてしまう。この運用をやめ、警察によって双方からの聞き取りを義務づける。この場合、国は主要警察署に「DV調査課」を設置し、刑事事件のみではなく民事でも対処出来るようにする。この民事とはいわゆる「モラハラ」と言われる精神的DVや経済的DVなどである。特に、被害を主張する側の精神鑑定も場合によっては行う強制力をもたせる必要がある）。

6. 事件を担当した裁判官は、退官前3年間担当した裁判のいずれの側の弁護士事務所にも、退官後3年間は就職できないことを法制化する（※前述したように、自らが担当した事件の3カ月後に退官し、担当事件で勝たせた側の弁護士事務所に天下りした例などがある）。

7．実際にDVに苦しむ配偶者に対する確実な保護策を講じる（※虚偽DVが問題になるが、実際に暴力を受けている女性・男性も筆者の周囲に複数存在する。これを確実に保護することこそ、虚偽DVを排除することに繋がる）。

これによって、子どもの連れ去りの90％は解決できるのではないかと思われる。残りの10％は、配偶者のいずれかに精神疾患がある場合であり、それに対処するためには、臨床心理士、精神科医など複数の専門家の意見を聞くことを義務づける必要がある。

連れ去り問題は、夫婦間だけの問題ではない。その子どもの祖父母との縁も絶たれてしまい、孫に会えない祖父母が悲しみに暮れているというケースも多いのだ。1日も早く、この野蛮な「実子誘拐」を違法化しなければ、家族破壊が進行し、さらには国家の崩壊にさえも繋がる異常な事態になりかねない。

## 「共同親権」で連れ去りはなくなるか

2019年11月、40～60代の男女12人が国に計1200万円の損害賠償を求める訴訟を、東京地裁に起こした。離婚すると父母の一方しか子どもの親権を持てない現行の制度（単独親権）は、法の下の平等や幸福追求権を保障する憲法の規定に違反し、子育てする権利が侵害されて精神的苦痛を受けたというものだ。

「訴状によると、原告らは離婚で親権を失うなどして子どもと別居し、子育ての意思があるのに『司法に救済を求めてもわずかな面会交流しか認められない』などと主張。国には『共同親権』制度の立法を怠った責任があるとしている（立法不作為）。

中学2年の娘と月に一度しか会えないという原告でフリーライターの宗像充さん（44歳）は、提訴後に記者会見し『子どもに会えないのは親の個人的な問題だといわれるが、社会や制度の問題だと訴えたい。親と会えない子どもたちは、会えないことをあきらめないでほしいと伝えたい』と話した」（産経新聞電子版2019年11月22日）

ここで共同親権について考えてみたいと思う。

欧米では、離婚後も両親が親権を持つ「共同親権」制度が、多くの国で採用されている。一方、日本では、一方の親を親権者に定める「単独親権」制度が採られている。

「共同親権制度をとるべきだ」と訴えて、こぶしを上げる人たちも多い。

しかし、その共同親権が子どもの連れ去りをなくすことや、自由な子どもとの面会交流に繋がるのだろうか。筆者は「ＮＯ」だと考える。

現在でも、離婚前で別居している場合は「共同親権」である。しかし、それでも様々な理由により、子どもに会えない、親子が引き離されているのが現状だ。それは何故か？　そもそも連れ去りを含む親子引き離し自体が何ら違法と判断されていないからなのだ。

また、共同親権は、確実に国体破壊に繋がる。

進歩的な政治家などは、何でも「外国ではこうなっている」「Ｇ７の中では日本だけが単独親権だ」などと、諸外国の真似をしようとするが、これは完全に愚策だと考える。

日本は、日本人が育み守ってきた国であるからこそ、２６８０年間も続いてきたのだ。

「アメリカが――」などと言っている方々は、よく考えていただきたい。アメリカは、建国してまだ２４０余年しか経っていない国。歴史は日本の10分の１以下なのだ。

欧州も今の形で固定したのは、せいぜい３００～５００年前。それまでは、殺し合いに明け暮れていた人たちである。

筆者が考える共同親権の場合の問題点は以下の通り。

1．簡単に離婚する可能性が高くなる。

2．離婚のハードルを下げると、結局は、「子どもが一番の被害者」になる。

3．日弁連や左翼活動家が、国連やその他において推進している「夫婦別姓」などが、万が一、合法化されれば、離婚しても外形的変化がないために、簡単に離婚する可能性が高くなる。

さらに、日弁連などは「戸籍法の廃止」を唱えている。自動車運転免許証から「本籍地」が消えたのも、その布石なのだ。

「共同親権の国フランス」では、子どもを持つ親の70％が、離婚しているか未婚である。私は日本をそのような国にはしたくない。

確かに、今の裁判所の運用では、子どもを虐待する親であったとしても、子どもを先に連れ去ることにより親権を得ることができる。その後、子どもが親権を失った親のところに逃げてきたとしても、親権者ではないが故にわが子を助けることは極めて困難である。しかし、そもそも裁判所における法の運用自体がおかしいのであって、この点を改善せずに、対処療法的に共同親権を推進することには反対である。

## 国連を利用して法改正を

筆者は、子どもの連れ去り問題に約4年前から取り組んできた。そして、多くの被害者に個別面談や聞き取りをし、国会議員への陳情なども行ってきた。そんな中、その裏側にいる左翼弁護

「子どもオンブズマン日本」の鷲見洋介事務局長（右）、小出哲也氏（左）と著者が、国連で子どもの連れ去り問題のサイドイベントを開催。約30カ国から参加者があり、多くの質問が寄せられた。

まさか日本でそんな事が行われているとは……と驚きを隠せない参加者たち。

士たちが、ユニオン問題、慰安婦問題などで被害者の立場を作り上げ、それを食い物にしている連中と、多くの部分で重複していることが徐々にわかってきた。そして、行き着く先が〝反日の巣窟〟である「西早稲田2-3-18」(後述)だった。「西早稲田」に巣食う左翼活動家は長年、国連を利用したマッチポンプで日本を貶め続けてきた。中にはスイス・ジュネーブの国連欧州本部周辺に事務所を構えて、日本叩きに専念しているNGOも現存する。

この裏側が分かった以上は、国連で先手を打つ必要があると考え、筆者は早速、人権理事会で次のように訴えた。

「子どもの連れ去り問題が、日本では重大な人権侵害になっています。片親がいつでも彼または彼女の子どもを〝拉致〟することが可能で、もう一方の親から子どもを引き離し、別の場所に連れて行き、もう一方の親が彼か彼女の子どもと会うことができなくなるのです。連れ去られた子どもは連れ去った親のところで右往左往し、もう家に帰ることもできなくなり、もう一方の親から引き離されます。

日本の裁判所は、連れ去った側に親権を認める傾向があります。たとえ一方の親から、もう一方の親が強制的に連れ去った場合もです。このようなことが起きるのは現在の制度では、夫婦の一方が『家庭内暴力』の被害を訴えれば、たとえそれが捏造であっても、新たな居所は夫婦のもう一方には知らされないからです。さらにこの制度が『離婚弁護士たち』に悪用されているのです。そして、連れ去り弁護士たちは片方の親に子どもを連れ去るように煽動し、一般的に虚偽の『家庭内暴力』を主張するのです。

連れ去り弁護士たちは、連れ去られた子どもたちに対する悪影響も考えずに、連れ去りを推奨します。子どもたちは両親に愛される基本的権利を有し、愛情に包まれた環境で育つ権利があります。しかしながら、日本では現在の制度と心の曲がった不誠実な弁護士たちのために多くの子どもたちがこの基本的権利を奪われてしまっています。

我々は人権理事会に対して、心より、親から引き離された苦悩のうちある子どもたちを助けていただきたい」（２０１８年6月、第38会期国連人権理事会での筆者発言）

さらに、同年9月の第39会期国連人権理事会でもこう訴えた。

「『実子誘拐』『子どもの連れ去り』は、諸外国では『重犯罪』とされているが、日本では、離婚弁護士や西早稲田系ＮＰＯなどが、連れ去りを促しており、違法ともされていないために被害が後を絶ちません。これが、『親子断絶』や『子どもを人質にした金銭の要求』など、子どもの人権を全く無視し、さらに子どもを利用し、連れ去られた側の親の人権を全く無視した判決を裁判所が継続的に出すことに繋がっています。

いったんこのシステムに乗ると、ベルトコンベアーに乗せられたかのように、西早稲田系NPO→シェルター→悪徳弁護士→悪徳裁判官などの順で、餌食（犠牲）になり、子どもを連れ去られた親たちは、精神崩壊、場合によっては自殺するという悲惨な事件が後を絶ちません。

また、子どもとの面会交流ができることもありますが、非常にハードルが高く、連れ去った側の親が連れ去られた側の親に会わせないなどの妨害によって、子どもが親に何年も会えない事態が多発しています。

これが、再婚後の継父や継母による子どもの殺害などにも繋がっています。離婚後でも、子どもとの頻繁な交流がなされていれば、子どもの異常にも気が付きますが、面会ができない、させないという状況のために悲惨な事件が年間に何件も起きています。2018年にも、5歳の女の子が継父に殺害されるという事件が発生しました。

これは、日本の司法や悪徳弁護士、悪徳NPOなどによって殺害されたと言っても過言ではありません。

日本政府（立法府）は、民法の改正などを行って、これらの問題を少なくする努力をしているものの、裁判所（司法権）が、これに従わないという事態になっているのです。これは、司法権に対して、多大な権力を付与していることから来る歪みでもあります。また、虚偽の家庭内暴力（DV）の主張により、不貞行為隠しなども数多く行われています。

この子どもの連れ去り問題は、確立された悪徳弁護士などの金儲け、退官後の裁判官の天下り先の確保など、様々なことに悪用されているのです。

家庭崩壊を目論み、子どもは社会が育てるものとの共産主義的思想を持った弁護士も少なくなく、社会の最小単位の家族が崩壊すると、やがては、地域社会が崩壊し、国家が解体されると言っても過言ではないでしょう。

一刻も早く、21世紀の日本で起きている『子どもの連れ去り・誘拐』を終わらせる必要があります」

このように国連で様々な訴えを行ってきたことで、日本国内のみならず、海外の被害者や、その被害者を援護する団体など、多くの方々から連絡をいただくようになった。そして、既に海外の人権団体との協力体制も構築しつつある。

これまで左翼は、国連を利用し外圧を作り出して、自分たちの利益と日本破壊のための工作を行ってきた。そうであれば、同じように国連を利用し外圧を利用して、法改正を行うというのも、筆者が考えているいくつかの方法の1つである。

今後は、徹底的に子どもの人権蹂躙、そして、子どもを連れ去られた被害者への人権蹂躙に関して、関係各所に対して異議を申し立てる予定である。そして、1日も早く被害者の方々が、自分の子どもを笑顔で自分の腕に抱ける日が来るようにしたいというのが、筆者の願いである。

**【「西早稲田2－3－18」】**

この住所には、戦時性暴力や慰安婦問題で日本を糾弾する「アクティブ・ミュージアム 女たちの戦争と平和資料館」（wam）などの反日団体のほかに、「在日大韓基督教会」「在日韓国人問題研究所」「日本キリスト教協議会」などといった組織がひしめいている。

wamは2005年8月にオープンし、天皇陛下の戦争責任を追及する「女性国際戦犯法廷」や慰安婦についてのセミナー、日本軍の性暴力被害者の映像記録、元朝日新聞記者の女性活動家、松井やより氏を讃える特別展などを開催している。wamで国連報告会を行ったりと関係が深いのが前出の前田朗（まえだあきら）東京造形大学教授だ。同氏は慰安婦問題に関して「慰安婦＝日本に強制された性奴隷」という立場で、日本政府に対してさらなる謝罪や賠償を求める韓国の代弁者のような内容を、常に国連人権理事会に持ち込んでいる。つまり、「西早稲田」から発信された彼らの主張が、国連で発表されて世界に拡散し、それが日本への圧力となって返ってくるという構図になっているのだ。

同氏はまた、宇都宮健児氏（共産党・元日弁連会長）、東大名誉教授である上野千鶴子氏（フェミニストのカリスマ）、辛淑玉《シンスゴ》氏（在日朝鮮人・極左活動家・フェミニスト）、西島藤彦氏（部落解放同盟中央書記長）、石井ポンペ氏（原住アイヌ民族の権利を取り戻すウコチャランケの会代表）、鈴木邦男氏（一水会顧問）、高里鈴代氏（沖縄反基地活動家）、松岡徹氏（元部落解放同盟中央本部書記長）、和田春樹氏（歴史家・東京大学名誉教授）、村山富市氏（社会民主党名誉党首・第81代内閣総理大臣）その他とともに、「のりこえねっと」（ヘイトスピーチとレイシズムを乗り越える国際ネットワーク）という組織の共同代表を務めている。

子どもの連れ去り問題でも、こうした「人権派団体」を標榜する団体に関係する弁護士がかかわっていることがわかっている。

## あなたも被害者になる

現在、日本中に自分の子どもたちに会えない男性が何万人も存在している。その多くが「ＤＶ防止法」を悪用したり、女性が嘘の証言をしたりした場合に起こっているようだ。

筆者は、現在までに約１００人の当事者たちに直接聞き取り調査をし、今も、月に１、２回、被害者の方々に面接し、状況を調査している。時には、外国人当事者の通訳として警察署へ出向くこともある。

その中で、特に多いと思ったケースは、「妻（女性）の不貞行為」がバレそうになった場合にDVの被害者になりすますケースだ。こうすることにより、女性と子どもはシェルターなどで保護され、夫（男性）から、完全に身を隠すことができるのだ。

また、そこには、8兆円ある日本の男女共同参画事業予算から、様々な名目で弁護士に資金が流れる仕組みが出来上がっているようだ。

DVとは身体的な「暴力」だと思われるだろうが、実は、このDV防止法の適用には、「言葉」が含まれ、女性側が不快に思ったり「怖い」と言ったりすれば、その時点で「保護対象」として、公権力を使い居所を隠すことができるのだ。

このようにして、子どもを連れ去られた男性は、毎年、3000人以上にのぼるのではないかと言われている。一部では、男性が子どもを連れ去った例もあり、奥さんのほうが、旦那さんの居所が全くわからなくなってしまったというケースもある。ただ、このケースは、筆者が聞き取り調査をした中では1件のみである。

これらの男性たちが、万が一、妻子の居場所を突き止めてそこに行った場合は、その場で逮捕され、聞き取り調査をした中では、旦那さんが懲役6カ月の実刑を受けたケースがあった。ガイアックスというバイオエタノール系の燃料を販売する会社の社長が、この子どもの連れ去りにあい、奥さんが実家に戻ったことを知り、訪ねて行ったところ、警察を呼ばれて逮捕された例は有名な話である。

全ての女性がそうではない。本当に暴力を受けて、命からがら逃げ出して、保護された例はたくさんある。しかし、実際に暴力によるものは、全体の10％にも満たないのだ。

この悲劇は、男女同権はおろか、女性の権利が正当な範囲を超えて強化されすぎたために、逆に「男性差別」が起き、それ故に生まれたと考えられる。男性の権利も守られるべきだ。

アメリカでは、日本より先に同様のことが始まった。日本のフェミニストやリベラリストたちは、アメリカにそれらの方法を学習したのだろう。モンタナ州立大学の日本人の女性教授や東京大学の名誉教授などが、まさにその急先鋒だと思われる。

日本にある「のりこえねっと」のメンバーも同様だ。さらに「対レイシスト行動集団」（レイシストをしばき隊）関係の弁護士なども、この子ども連れ去りに大いに加担していることを突き止めている。

明日、あなたもこの被害者になる可能性があるのだ。このような悪しき事例は、1日も早くなくすべきだ。

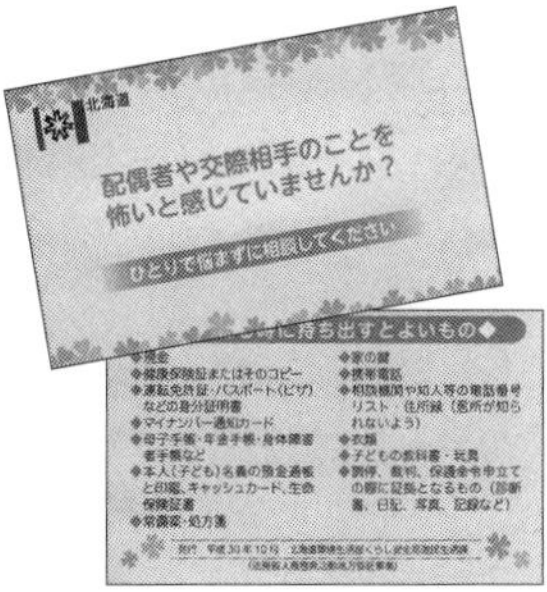


政府機関や地方行政機関の冠がついたこれらのカードは、コンビニや公共施設の女性用トイレなどに置かれている。まず、これ自体が男女差別である。名刺大の三つ折りカードの内側（右）に、地方行政機関の他に西早稲田の左翼と関係の深いNPOが相談窓口としてリストアップされている。カードの裏（上）には、家を出る時に持ち出すもののリストが書かれている。これに類似するカードや印刷物は、全国各地で配布されている。

配偶者や交際相手などからの暴力相談機関・窓口

| | |
|---|---|
| 北海道立女性相談援助センター TEL 011-666-9955 | 平日 9:00～17:00、17:30～20:00<br>土日祝 9:00～17:00 |

| | | | | | |
|---|---|---|---|---|---|
| 北海道環境生活部くらし安全局道民生活課 | | | | TEL 011-221-6780 | 平日 9:00～17:00 |
| 総合振興局・振興局 空知 | TEL 0126-25-5648 | 総合振興局・振興局 | 上川 | TEL 0166-46-5081 | |
| 石狩 | TEL 011-232-4760 | | 留萌 | TEL 0164-43-0011 | |
| 後志 | TEL 0136-22-5838 | | 宗谷 | TEL 0162-33-3399 | |
| 胆振 | TEL 0143-22-5286 | | オホーツク | TEL 0152-45-0500 | |
| 日高 | TEL 0146-22-2921 | | 十勝 | TEL 0155-26-9029 | |
| 渡島 | TEL 0138-47-5789 | | 釧路 | TEL 0154-41-1110 | |
| 檜山 | TEL 0139-52-5785 | | 根室 | TEL 0153-24-5756 | |
| ◆DV被害男性は、右記の電話でも相談できます | | | | TEL 011-661-3210 | |

| | | |
|---|---|---|
| 北海道警察各方面本部警察相談センター | TEL #9110 | 24時間対応（相談専用） |

| | | |
|---|---|---|
| 札幌市配偶者暴力相談センター | TEL 011-728-1234 | 平日 8:45～20:00<br>土日祝 11:00～17:00 |
| 札幌市男女共同参画室 | TEL 011-211-3333 | 平日 8:45～17:15 |
| 旭川市配偶者暴力相談支援センター | TEL 0166-25-6418 | 平日 8:45～17:15 |
| 函館市配偶者暴力相談支援センター | TEL 0138-21-3010 | 平日 8:45～17:30 |
| 女のスペース・おん（札幌市） | TEL 011-219-7011 | 平日 10:00～17:00 |
| ウィメンズネット函館（函館市） | TEL 0138-33-2110 | 平日 10:00～17:00 |
| ウィメンズネット旭川（旭川市） | TEL 0166-24-1388 | 平日 18:00～21:00 |
| ウィメンズネット・マサカーネ（室蘭市） | TEL 0143-23-4443 | 平日 10:00～17:00 |
| 駆け込みシェルターとかち（帯広市） | TEL 0155-23-9911 | 平日 14:00～17:00 |
| ウイメンズ・きたみ（北見市） | TEL 0157-24-7293 | 平日 13:00～16:00 |
| ウィメンズ結（苫小牧市） | TEL 0144-32-0100 | 平日 10:00～16:00 |
| 駆け込みシェルター釧路（釧路市） | TEL 0154-32-7704 | 平日 13:00～16:00 |

| | | |
|---|---|---|
| 女性の人権ホットライン（全国共通） | 0570-070-810 | 平日 8:30～17:15 |

◆緊急時は110番通報するか、最寄りの警察署または交番に助けを求めてください。（24時間対応）

前述したように、連れ去られた子どもの中には、精神的に病んでしまい、不登校になった子どもや、自殺した子どももいる。社会的立場が高い方に被害者が多いのも特徴である。前述の会社社長や経営者、会社役員、裁判官、警察官、弁護士、一流企業の社員、大学教授、政治家など、その職業は様々だ。

連れ去りが起きる原因には、弁護士事務所のうたい文句や、女性向けの雑誌、「離婚マニュアル」のようなタイトルの本、そして、あなたの配偶者にフラワーアレンジメント教室やヨガ教室などの習い事の教室などで、上手く擦り寄ってきて「知り合いになる人たち」などが考えられる。

また、コンビニや公共施設の女性トイレな

どに、「配偶者を怖いと思ったことはありませんか。彼氏を怖いと思ったことはありませんか。そういうことが少しでもあればここに電話してください」という内容の名刺大のカードが置いてあったりする。これが二つ折、あるいは三つ折になっていて開けてみると、中には一見、役所のような電話番号が書いてあるが、これが西早稲田系のＮＰＯなのだ。

ここに相談に行くと、「あなたはＤＶを受けています。すぐに別れなさい」と言われ、弁護士を紹介される。そして、駆け込みシェルターに誘導して、離婚を強制し、子どもの連れ去りを教唆するのだ。

ちなみに、行政の支援措置には大きな問題がある。裁判所が出す「保護命令・接近禁止令」は医師の診断書がないと発令されないが、行政の支援措置を申請しているのは、ほとんど民間ＮＰＯ法人だ。全体の15％は警察だが、85％は民間ＮＰＯ法人が申請している。そこの相談員たちが、この人はＤＶを受けていると判断すると、「支援措置を受ける必要がある」という旨の文書を書き、団体の印鑑を押して提出する。そしてそれは、役所によって調べられることなく承認されるという。建前では、早く対処しなければ、生命に危険が及ぶためだということのようだ。相談員が、何か特別な資格を持っているということもない。つまり、ＤＶを受けたとされる人の意見を、一方的に優先する仕組みが完全にできてしまっているわけだ。弁護士や民間ＮＰＯ法人はこのことを熟知しており、虚偽のDV被害を作り出していると思われるのだ。

## これが左翼の描く国家破壊の構図だ

ある連れ去り被害にあった男性が筆者に相談してきたのだが、話を聞いてみると「弁護士が連れ去りを指南している」ということだった。その弁護士の名前の一覧に目を向けると、筆者が今まで国連を舞台に対峙してきた左翼NGOや、その組織で動いている弁護士であることがわかった。

慰安婦問題、沖縄問題、報道の自由問題、死刑問題、家庭内暴力問題、アイヌ問題、夫婦別性問題、同性婚問題、その他の裏側で様々な利権のためにうごめいている連中である。

たとえば、冒頭で紹介したAさんのケース。妻の代理人として電話をかけてきた弁護士が何者なのか調べてみると、「九条の会」「日の丸・君が代強制反対予防訴訟を進める会」などに所属し、韓国人慰安婦、歴史教科書、朝鮮人強制連行の問題などを担当していることがわかった。子どもの連れ去り問題の裏側でうごめくグロテスクな反日左翼や弁護士の顔ぶれを見た瞬間に、「これは、何かあるに違いない」と思い、筆者はこの複雑な問題に関わる決心をしたのである。

子どもの連れ去り問題は、「国家破壊のため」に周到に計画されて行われていると言っても過言ではない。この6年間、ほぼ全ての国連人権理事会、その他の人権関連委員会、世界で行われる人権関連の会合に出席して、調査や発言を続けてきた筆者は、国連に巣食う日本のいわゆるほとんどのＮＧＯがありもしない問題をデッチ上げて、「日本を破壊するための工作」に国連を利用している多くの場面を目の当たりにしてきた。

そんな経験を踏まえて、この子どもの連れ去り問題を見た場合、次のような構図が浮かび上がる。

子どもの連れ去り↓子どもの精神破壊↓貧困問題

⬅

家庭破壊↓利権ビジネス↓弁護士の安定収入

⬅

選択的共同親権↓共同親権↓双方の権利行使での葛藤↓裁判↓弁護士利権

⬅

選択的夫婦別姓↓夫婦別姓↓安易な離婚↓一億総無責任

⬅

戸籍法廃止→免許証から本籍地削除完了

⬇

皇室廃止（愛知トリエンナーレ→不敬罪をうやむやにする）

⬇

国家破壊完了

## 〝アリの一穴〟が開けられたら手遅れに

「共同親権」「夫婦別姓」に、当初は「選択的」とつけて、「選択的共同親権」「選択的夫婦別姓」などと〝アリの一穴〟を開けるために様々な仕組みや仕掛けが、既に構築されている。

「選択的」という言葉に気をつけなければならない。「禁煙問題」を考えてほしい。航空機などの公共交通機関やレストランでの禁煙は、最初は、座席の半分を禁煙、その他を喫煙とした。これが「選択的禁煙」だ。

しかし、現在はどうだろうか。航空機の例を挙げてみよう。

筆者が、自分の事業で海外へ頻繁に出かけていた今から20年ほど前までは、全ての座席に灰皿が付いており、喫煙が可能だった。その内、「短距離のフライトのみ」の半分の座席が禁煙となり残りが喫煙となった。

これがその後、徐々に長距離のフライトにも適用され、最終的には「全席禁煙」となった。初めの「蟻の一穴」が開いてしまうと、それを徐々に拡大させて、完全に禁止するわけだ。これは、Incrementalism（インクリメンタリズム＝漸進主義）と言われるやり方である。簡単に言えば、初めはほとんどの人に影響がない範囲での変更を行い、それを徐々に拡大していくというやり方だ。そして、気がつかないうちに目的を達成しようとする理論のことである。

このインクリメンタリズムを用いて、国連を利用して、日本破壊を目論む社会主義者や主体主義思想（チュチェ思想）信奉者たちが、工作活動を着実に進めているのだ。

DV防止法というものがある。しかし、DV罪というものはない。どうしてこうした法律ができるのだろうか。これは左翼が国連を使ってマッチポンプを行い、すでにある法律、たとえばDVであれば脅迫罪とか傷害罪などを無効化させるのである。そして、いくらでも拡大解釈や曲解が可能な曖昧模糊とした法律を作り、それで相手を追い込んでいく。

ヘイトスピーチ法も全く同じ構図だ。ヘイトスピーチ罪というものはない。既存の名誉棄損や侮辱罪でよいのだ。

しかし、ヘイトスピーチやDVなどを左翼が国連に持ち込むと、だいたい3～4年後には法制化される。それが国連に通ってみてよくわかった。ここで潰しておかないと、左翼の思惑通りに法律が変えられてしまうのだ。ヘイトスピーチ解消法とかDV防止法などはまさにそうだ。曖昧模糊とした法律を作り上げて、それを金科玉条のように相手に押し付けるのだ。

この他にも左翼は、LGBT問題やアイヌ問題、沖縄問題など様々な問題を国連に持ち込み、マッチポンプを最大限に利用して、国家破壊を目論んでいる。

国家破壊のための工作について、乱暴にその一部について書けば、以下の様な形になる。

1. 同性婚→少子化→夫婦別姓→戸籍法廃止→皇室廃止→国家破壊

2. アイヌ先住民勧告→先住民保護利権→先住民の自治→先住民の武装化→内乱→独立→国家破壊

3. 沖縄基地問題→米軍撤退→中国・朝鮮による援助→沖縄・琉球先住民勧告→先住民保護利権→独立宣言→中国へ無血で併合

我々は、こうした左翼の様々な形態での国家破壊活動の動きをいち早く察知し、早急に対処していく必要があるのだ。筆者はまさに、そのことに取り組んでいるのだ。

# シュン大佐、初の単著発刊に寄せて

トニー・マラーノ（テキサス親父）

ハ～イ！皆さん

俺の親友のシュン大佐が、初めて単著を出すというので、心から「おめでとう」と言いたい。

また、それを可能にした出版社のワニ・プラスさんにも最大限の感謝の意を示したいと思う。

シュン大佐はこれまで、俺が日本で出版した本の9冊の内8冊の翻訳、編集、校正、デザインなどを全て行ってくれ、さらに、週刊誌や新聞、その他様々なメディアへの寄稿などの翻訳や校正も、全て手掛けてくれているので、数冊しか本を出してない人よりは、はるかにベテランで有能だってことを先に述べておこう。ただ、彼は、自分

藤木氏に全幅の信頼を置くトニー・マラーノ氏

なんかが本を出すよりも、俺の本を手掛けたほうが、多くの人にメッセージが伝わるので、その裏方仕事のほうが向いていると言って、今までに様々な出版社から来ているシュン大佐への出版依頼は、断り続けてきたんだ。どうも、シュン大佐は他人のマネージメントのほうが向いていると勝手に思い込んでいるようなんだ。

シュン大佐は、この本が出ると決まった時に、俺に電話をしてきて、バツが悪そうに「西村幸祐氏からの猛プッシュがあったので、断れなかった」と言っていた。西村幸祐氏は、ジャーナリストであり、作家でもあり、なにより俺の大切な日本の友人のひとりだ。俺が日本で出した2冊目の本である、『テキサス親父の「怒れ！ 罠にかかった日本人」』（青林堂）の監修をやってくれたり、俺が日本に滞在中に、彼が関わっている講演会に呼んでくれたり、俺の講演会にゲストで参加してくれたりと、色んなことを一緒にやってきた仲間で愛国者でもある。シュン大佐が今回、断らなかった理由が実はこれなんだ。

何故、俺が「シュン大佐」と呼んでいるかだが、彼は、アメリカのケンタッキー州の州知事に任命された正式なケンタッキー州のカーネル（大佐）だからだ。ちなみに、俺は、テキサス州海軍協会の名誉提督で、シュン大佐よりも階級は上だ（笑）。

シュン大佐は、国連へ1年に何回も通って、毎回、数週間滞在し、そこで行われている反日活動を現場でつぶさに見続けてきているし、俺の国アメリカのワシントンD.C.郊外、メリーランド州にある米国国立公文書記録管理局にも、俺と一緒に何度も「慰安婦問題」、「南京問題」や「東京裁判問題」など、様々な公文書の発掘のための調査に行っているんだ。

さらに、日本人の捕鯨の関係者たちに罵声を浴びせ、数々の嫌がらせを行っている反捕鯨団体シーシェパードに嫌がらせをするために、わざわざ、デンマーク領・フェロー諸島という地の果てのような場所にまで一緒に行った。国連にも何度か一緒に行ったし、日本だけではなくニューヨークでも、ミット（藤井実彦氏＝論破プロジェクト代表）と共に俺の講演会を企画し開催してくれたりと、多くの「現場」を経験しているまさに情報の宝庫なんだ。俺も常々、シュン大佐がもっと前面に出れば良いのにと思っていたし、彼にもそう言い続けてきている。そして、彼にはその素地が十分に備わっていることは、彼との10年以上の様々な付き合いでよくわかっているんだ。今回の西村幸祐氏のプッシュは、俺にとってもありがたいことだったわけだ。ここで、シュン大佐に出版の決心をさせた西村氏にお礼を言いたい。どうも、ありがとうございます。

さて、俺とシュン大佐の関係の創世記から、友情、絆について読者の皆さんにその背景を少し説明させていただきたい。

2008年~2009年の間に、俺がYouTubeに投稿したシーシェパード関連やその他、日本に関する動画により、俺の名前が日本で一部の人に知られるようになったんだ。

2009年には、東京の出版社である飛鳥新社から連絡があり、俺に出版の打診があった。俺は、それまで出版などしたことがなかったので、全くの手探り状態だったが、飛鳥新社の担当者が根気よく付き合ってくれて、約1年間の作業を経て、2010年に出版することができた。

同じ年に俺に日本の保守的なグループの代表から連絡があった。このグループは、2011年1月に日本で開催される会議で講演をしてほしいので、日本に招待するって言ってきたんだ。

それまで、俺は日本に興味はあったが、そもそも、米国以外の外国には行ったことがなかった。そこで、この申し入れを受けることにしたんだ。そこから、俺は日本のことをもっと勉強しようと、徹底的に日本の文化、人々について勉強し、日本に駐留した経験がある退役軍人の友人にも様々なことを聞いて、理解を深めることができた。

ちょうどこの頃、シュン大佐から俺の動画に関する質問のメッセージが来たんだ。この時点では、多くの日本人から様々なメッセージをもらっていた。ただ、シュン大佐のメッセージがその中でも際立っていたんだ。

それまで、多くの日本人からスカイプなどで話をしないかと言われたんだが、知らない人と話すのは、政治的な理由であまり好きではないので、受けてこなかった。

そんな中、1月に日本に行くことを彼だけには伝えたんだ。そうすると、彼は食事に誘ってくれた。太ったアメリカ人は、美味しい食べ物に弱いからな（笑）。

ところが、俺を招待すると言っていた日本のグループと、突然、連絡が取れなくなった。それも、すでに予定から1カ月を切った時点だった。シュン大佐とも食事をする約束をしていたんだが、すでに2週間、そのグループの代表にスカイプを使い連絡しても、オンラインと表示されているにもかかわらず無視され続けた。そこで俺は、シュン大佐に、実は俺を招待したいと言ってきたグループと連絡が取れないので、約束が守れないかもしれないと話したんだ。

後にわかったことだが、招待すると言っていたグループ内で争いがあったようだ。俺は、残念とは思わずに、その状況を理解しようと考えていた。

その話をシュン大佐にすると、「日本を擁護する様々な動画を投稿してくれている恩人に対して、そのようなことをするなど許せない。日本人として本当に申し訳ない。代わりに自分が招待するので、そのままのスケジュールで来てほしい」と言ってきたんだ。当初は、グループから招待されるのと、個人のポケットマネーで招待されるのではわけが違うので断ったんだ。

しかし、シュン大佐は、「日本人は約束をしたら守らなければならないんです。他の日本人が守れなければ、誰かがそれをカバーしなければならないのです。このままでは、日本の尊厳が損なわれます」と言ってきた。それを聞いて、彼が本当の愛国者で、母国日本のために貢献しようとしていることが理解できた。俺は「この一件だけで、日本が悪い国だなんて思わないぜ」、それに「シュン大佐が他人の破った約束の責任を取る必要はない」と言ったんだが、彼と同じ保守的思想をもった俺は、彼が日本人の名誉を熱心に護ろうとしていることが理解できたので、この招待を受けることにした。愛国者に悪い奴はいないからな。

1つのドアが閉まると、別なドアが開くと俺は常に信じていたんだが、まさにそれが起きた瞬間だった。シュン大佐がそのドアマンだったってわけだ。

結果として、普通はそのような個人からのオファーは受けない俺が、彼に説得された。その理由は後になってわかった。彼は、最初に就職した会社でも常にトップセールスマンで、その後、彼自身が起業した会社も、短期間で業界トップの地位を占めるまでになったんだ。そのトップセールスマンに口説かれたんだから、知らないうちに説得されても仕方ないってわけだ。

40年前に俺がニューヨークに住んでいた時、俺の兄貴2人はカリフォルニア州のロサンゼルス（LA）に住んでいた。彼らは悪いことばかりしていた。そこで、俺たちの母親が、兄貴たちが何をしているのか見て、真面目にやるように言ってくるようにと俺をLAに送ったんだ。

俺はロサンゼルスの空港に降り立ったが、兄貴たちは、俺を空港に迎えに来ていなかった。そこで、俺はタクシーに乗って、兄貴たちの住む家にひとりで行ったんだ。そしたら、彼らは家の前に立っていた。そして、驚いた顔で「明日来るんじゃなかったのか?」と言うじゃないか。

それ以降、俺はどこを旅するにしても、事前に入念に下調べをして、自分で交通機関を使って空港から目的地、また、その先まで行けるように準備をする癖がついたんだ。それ以降の40年間は、俺が空港などで待ちぼうけを食うことはなかった。

メキシコのティファナで数時間買い物をした経験を除けば、これが俺にとって、初の海外旅行になったんだ。シュン大佐、ありがとう!

俺は以前から、最初の海外旅行は、俺のルーツでもあり、両親の出身地でもあるイタリアに行くと決めていたんだ。しかし、最初に訪問する国がイタリアではなく日本になった。そして、幸いなことに、その後には、シュン大佐らと一緒にイタリア巡礼に行くこともできた。

シュン大佐と話し合い、日本には2011年の3月に行く計画を立てた。ちょうど、そこに東日本大震災が起きて、トモダチ作戦が誕生したんだ。震災のために、電気もガソリンの供給も不安定になったので、俺の日本への初めての旅行は5月に延期された。

合計13時間のフライトは、俺にとっては未知の世界だった。俺の住んでいるテキサス州のダラス空港からロサンゼルス空港、そして、そこから東京へ移動した。そのフライトは、3時間遅れで到着し、シュン大佐が計画していた到着後のスケジュールに遅れてしまったんだ。

俺が人生で初めて東京で飛行機を降りた時、俺は文盲か？　と思ったぜ。様々な案内板の表記は日本語で、俺たちが欧米でよく知っているものと全く違うんだ。ここが欧州なら、少なくとも書いてある内容は理解できるところだろうが、初めてのことで、俺も少々興奮気味だったせいか、それぞれの案内板に英語が小さく書いてあることに何故か目が行かなかったんだ。そこで、一緒に飛行機を降りた人たちの後を追うことにした。

新しいパスポートを持って入国管理を通過して、税関を通過した。ターミナルで待っていたのは、シュン大佐とサポーターの皆さんだった。俺は、シュン大佐の顔を見てホッとしたぜ。その後は、全て彼に任せておけば良いからな。本来であれば、空港に到着したら、そのまま、反捕鯨団体シーシェパードが住民や漁業関係者たちに嫌がらせをしている和歌山県太地町に直行する予定だったんだ。

この訪日スケジュールをシュン大佐と話し合っていた時に、彼が日本滞在中に行きたいところがあるかと聞いてきた。

そこで、俺は、YouTubeなどで見ていた靖國神社、映画を見て感動した渋谷の忠犬ハチ公像、応援がユニークな阪神タイガースの野球の試合、ことあるごとに若者が川に飛び込み、美味しそうなものがたくさんある道頓堀、そして、反捕鯨団体などの嫌がらせを受け続けている太地町の町長に会いたいと伝えたんだ。それから、言い出したのが、俺かシュン大佐か忘れたが、広島平和記念公園もだ。

そして、今度は、「どんな食べ物を食べたいか」と聞かれたんだ。俺は、「おい、俺は太ったアメリカ人だぜ！　出されたものは（ほとんど）何でも食うぜ！」と返事した。日本人は地球上で最も健康的だから、日本食以外の何を食べろと言うんだ？　アメリカのジャンクフードのハンバーガーか？

日本に到着した日は豪雨だったので、シュン大佐が俺に「天気が良くなくて残念だ」と言うんだ。問題ないぜ！　俺はカラッカラのテキサスから飛んで来たんだ。恵みの雨だぜ！

その後、シュン大佐と世界の様々な国や場所に、一緒にそれぞれの国の尊厳を守るための冒険の旅に行くことになるとは、この時点では想像もできなかった。

シュン大佐は車の運転が非常に上手いんだ。その後、彼と世界のあちこちを旅することになったんだが、いつも、ほとんど彼が運転してくれた。俺は、彼が素晴らしい運転をする人間であることを自信を持ってここに記すぜ。オートマの車でもマニュアルシフトの車でも、とにかくスムーズな運転をしてくれる。それだけではないぜ。彼は、車の修理技術もピカイチなんだ。

数年前、彼が俺のテキサスの家に遊びに来た時のことだ。俺の愛車である古いシボレー・アストロのメーターパネルの照明があちこち切れていて、夜は見にくかったんだ。

彼は「これなら簡単に直るよ」と言うじゃないか。俺は半信半疑だったが、俺の家の玄関先で彼の修理作業を見ることになった。

すると、ダッシュボードをバラバラに分解し始めたんだ。これを見ていた俺は、

「ここまでやったら、元には戻らないかも知れない」という思いが頭をよぎった。しかし、それは間違いだった。完璧に元通りになったぜ。

俺が初めて日本に着いて、シュン大佐が駐車場から車を出して来たのを見て驚いた。当時、彼の車は、白のシボレー・エクスプレスというフルサイズの「俺の国」アメリカ車で、それも、ハイルーフで室内を豪華な応接室のように改造してあるものだった。俺は、日本の小さな可愛い車に乗るんだろうなと思っていたんだが、予想外だった。その後の彼との付き合いの中でも、彼は様々な予想外のことを見せてくれた。多分、彼にとっては普通のことなんだろうが、それが彼の魅力だとも言える。

このハイルーフの車の中で、俺は普通に立ったまま自由に移動でき、天井に頭をぶつけることもないんだ。皮肉なことに、シュン大佐は身長が１８０㎝以上あるので無理だけどな。

米国での日本人に対する認識は身長があまり高くなく、テキサスの人の身長は高いというところだが、シュン大佐と俺は、その両方の認識を壊したってことだ。日本人の中でも背が高いシュンと、アメリカ人の中でも背が低い俺のデコボココンビだぜ！

和歌山県太地町で俺たちは三軒一高町長に会うことができたんだが、町長と面談の約束を取り付けるのは、容易ではなかった。シーシェパードの太地町での傍若無人で不敬な態度のせいで、誰であっても外国人と面会はしたくないとのことだった。しかし、俺は、親に甘やかされて育ったシーシェパードのメンバーのようなボンボンたちが西洋人を代表しているわけではないと説明するために、どうしても町長に会いたかったんだ。

ここで、シュン大佐の説得がまたしても功を奏した。さすがにトップセールスマン、俺をも説得した男だけあるぜ。彼は、三軒町長に丁寧な手紙を書いて、俺のいくつかのシーシェパード関連の動画を収録したＤＶＤと共に送った。そうしたら、太地町役場から例外的に面談してもよいとの返事をもらったんだ。そして、太地町役場への訪問が実現した。面談の日には、三軒町長が鯨料理を用意してくれていた。それが、俺が人生で初めて鯨肉を口にした瞬間だった。何種類もの異なる鯨肉の料理だったが、どれも非常に柔らかく、とにかく美味しかったぜ。

このように、俺とシュン大佐の仲は、強い「絆」として育っていったんだ。

国も、年齢も、受けてきた教育も、育った環境も、文化も、言語も、そして身長も（笑）両極端に異なる2人なんだが、根底にある共通の価値観がそうさせたと言える。

お互いに自国愛が強く、同時にお互いの国へ感謝の念を持っており、それを高く評価しているんだ。俺たちは、世界で最も高度な文化を持つ先進国であるアメリカと日本の国民だという共通点、共通の価値観がそうさせているのかも知れない。

俺もシュン大佐も、シー・シェパードは、お金のために日本人の温和な性格を悪用している、「海に浮かぶサーカス団」以外の何ものでもないという共通認識をもっているんだ。

シー・シェパードのメンバーは、幹部以外は親に甘やかされた連中、カモにされやすい連中、カルトの手下たち、そして自分の感情をコントロールできない連中なんだ。

俺たちが、そのシー・シェパードの日本人に対する嫌がらせの仕返しに、太地町やデンマーク領フェロー諸島などで奴らに嫌がらせをする時は、オモチャ屋かキャンディーショップにいる子どもになった気分だぜ。とにかく、俺たちは、いじめっ子をいじめているんだからな。

この海に浮かぶサーカス団と対峙しているのは、沖縄のアカ（共産主義者たち）の連中と対峙しているのと同様に楽しいんだぜ。

俺とシュン大佐は、チームとして様々な場面で反日組織やリベラルの連中と闘ってきている。そのおかげで、日本では北海道から沖縄まで旅をした。また、スイスのジュネーブにある国連の人権理事会や委員会にも参加した。その目的は、日本の左翼弁護士たちが慰安婦問題において、日本を貶めるために事実無根の報告を国連に何度もしてきているからなんだ。さらに、パリにあるユネスコ本部にも、慰安婦問題がいかに捏造されているかの説明に行った。

これらの慰安婦問題に関するデマ、捏造などを暴露するために、俺たちはワシントンD.C.郊外にある国立公文書記録管理局へ何度も通ったんだ。そこでは、俺たち2人とも慰安婦マフィアのウソを暴くために、第二次世界大戦前、大戦中、大戦後の多くの資料、書類やフィルムを時間を掛けて丹念に調べ上げた。その関係で、俺たちは、フランスのアングレーム市、カリフォルニア州グレンデール市、ジョージア州ブルックヘブン市などにも出かけ、市議会や公聴会にまで出席し、発言したんだ。

シュン大佐とミットと俺は、カリフォルニア州のグレンデール市の市立公園に建てられた慰安婦像を見に行った。俺たちは代わる代わる、慰安婦像の隣の椅子に腰掛けてみた。慰安婦像の頭を鳥の糞から守るために、茶色の封筒を慰安婦像の頭に被せ、その後に始める予定だった、慰安婦像撤去のためのホワイトハウスへの署名活動のた

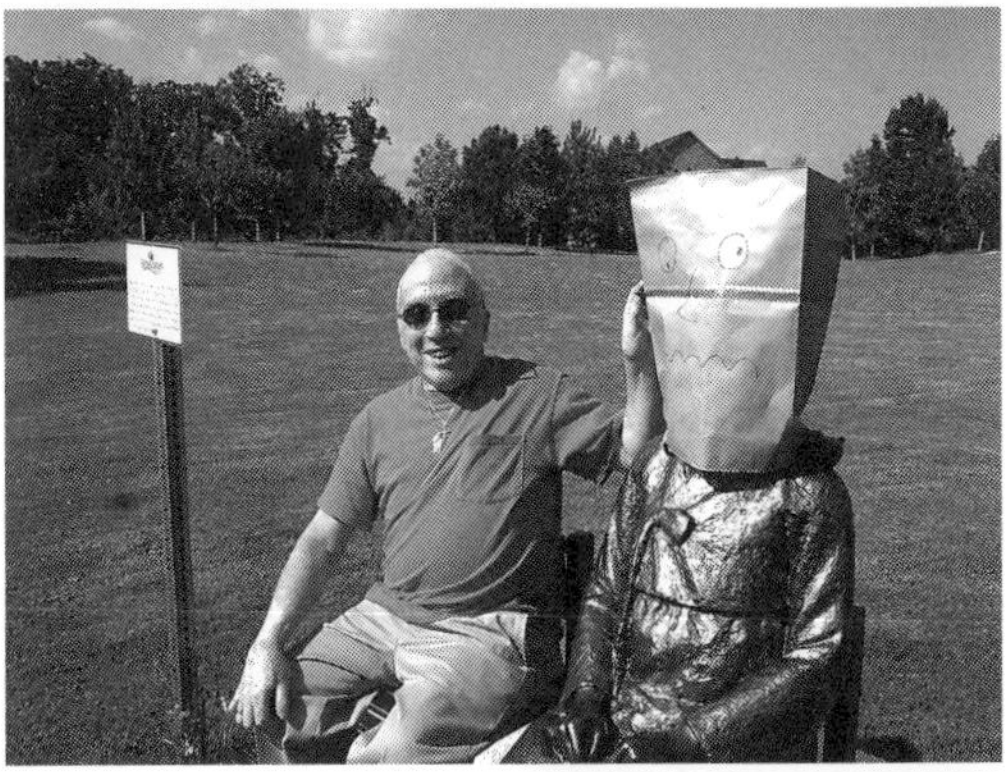

テキサス親父、ブルックヘブン市議会で、慰安婦像を設置すべきではないと発言。

ブルックヘブン市の公園に置かれた慰安婦像。その頭部に鳥の糞がかからないように紙袋を被せてあげる。

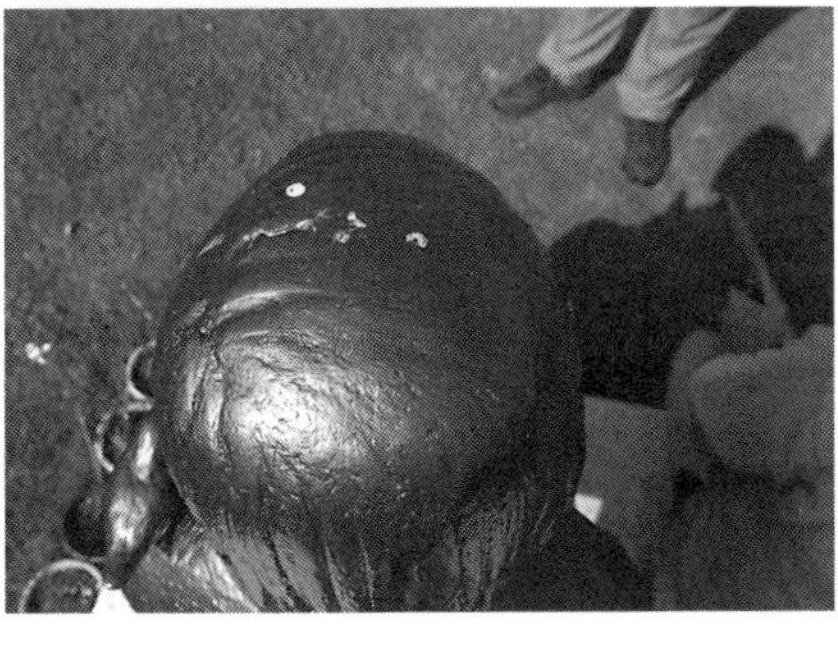

慰安婦像の頭頂部には、鳥の糞が……。

め多くの写真を撮った。そしてその写真をＳＮＳに投稿すると、インターネット上で予想通り、瞬く間に燃え上がったんだ。

シュン大佐と俺は、「慰安婦空想物語」を支持している連中が怒り狂っているのを見て、笑いが止まらなかったが、ミットはこの批判を受けて悩むことになった。

俺たちは、慰安婦問題の「真実」に固執しているので、酷い批判に直面しても全く動揺することもなく、このグレンデール市での経験は、その後の俺たちの慰安婦問題での冒険の基礎を与えてくれるものになったんだ。韓国の主要テレビ局は、連日、俺たちのことを激しく叩く番組を垂れ流していた。それがきっかけで、俺のところには、２０００通以上の嫌がらせのメールに、５００通くらいの殺害予告文書が届いたぜ。だけどこれが、そもそもの目的だったので、俺たちにとっては、作戦通りに進んでいたわけだ。日本国内からは、韓国の報道を打ち消すくらいの応援のメッセージが届いたぜ。その後、俺は、計画通りにホワイトハウスのサイトでの10万人署名を開始し、今までの署名活動ではとても達成できなかった13万筆の署名を集めることができた。日本の多くの方々が、署名だけではなくその署名運動を支援し、拡散し、夜中まで手伝ってくれた。本当に日本人の底力を見たぜ。

パリの南西にある風光明媚なアングレーム市というところで開催された国際マンガ祭に行った時の出来事だ。そこでは、毎年、街中に点在する様々な場所でコミックや漫画の祭りが開催されるんだ。ミットが、慰安婦マフィアたちがそこにありもしない慰安婦問題を題材にした漫画を50冊、その他にアニメなどを出展することを聞きつけてきたんだ。一方的な展示ではバランスに欠くので、ミットの発案で、その漫画祭に行き、慰安婦マフィアたちのウソを暴くためのブース展示をすることになったんだ。開催日の1日だか2日前に、俺たちはブースの準備を終えて、昼食をとりに出かけた。そして、帰ってくると展示物は全て無くなっていた。

そうしている内にイベントの主催者のひとりが現れた。まるでハリウッドに昔からいる悪役のステレオタイプの俳優を、そのまま連れてきたような出で立ちだった。そして、主催者の俺に逆らうなと言わんばかりに身振り手振りを加えた態度が、俺には逆にコミカルで笑えるほどだった。この男のパフォーマンスを数分間黙って聞いていたんだが、終わったとたんに俺とシュンは、「お前は泥棒だ！　盗んだ物を返せ！」と意図的にまくし立ててやったんだ。これがこの男の身振り手振りの笑えるパフォーマンスをさらに加速させることになり、俺たちはそれを見てまた楽しんだ。

このピエロは、俺たちのブースの展示が歴史的事実に反していると主張し、それがフランスの法律に違反していると言うんだ。言い換えれば、歴史的出来事の議論や描写は、政府による公式見解以外は違法だということだ。フランスは民主共和国だぜ！　その場に、このピエロが連れてきていた弁護士がフランスの法律の英語訳を見せてくれたんだ。おお！　確かにそう書いてあった。ただ、フランス政府が慰安婦問題に関して、公式見解を出しているとは思えないがな。ミットは、今まで準備してきたことが台無しになってしまったと、明らかに動揺を隠せない様子だった。

反面、俺とシュン大佐は、この主催者のピエロによる破壊行為はありがたいと考えたんだ。何故なら、これは国際的な論争を引き起こすからな。そして、この件は日本だけではなく、フランスのメディアも報じることになったんだ。同時に我々は、自民党の片山さつき参議院議員の助言を得ながらその対応にあたった。それ以来、愛国者である片山議員とは意気投合し、俺が日本を訪問する際には、必ず意見交換をしたり、俺が講演をしている場所にわざわざ会いに来てくれたりして、今では親友と呼べるほどだ。聡明で英語も流暢に話し、判断能力が高く、それでいて非常に女性的な尊敬できる人物だ。彼女が、日本の外務省に連絡してくれて、パリの日本大使館から、この現場のアングレーム市に調査のために5人を派遣してくれた。その間も、シュン大佐と片山議員は密に連絡を取りながら、対応を検討していたんだ。そして、現地や日本のマスコミが、シュンとミットにインタビューするために集まってきた。このフランス人の愚か者は、今まで裏方に徹してきていたシュン大佐を図らずとも表舞台に立たせた形になったんだ。このフランス人の愚か者に礼を言いたいぜ。

この主催者によれば、韓国が行っている展示は歴史的事実で、フランスの法律に抵触しないと言うんだ。そこで、韓国が展示していたのは、韓国人女性が、日本の零戦から爆弾のように地上に落とされる絵や、その他にも全く歴史の真実とは関係のない空想物語ばかりだったんだぜ。これが、歴史的事実か？　もちろん、そんなわけはない。後の調査でわかったんだが、このフランスの主催者は、この漫画祭の前に、主催者の奥さんとともに、韓国政府の招待でソウルに旅行に行っていたんだ。俺はこの旅に出かける前に、シュン大佐にフランス人が正義と呼ぶものの特異な性質について警告しておいたんだ。

英国のウインストン・チャーチル首相が言った言葉がある。「君には敵がいるのか？　それは良いことだ。それが意味するのは、君が人生の中で、いつか、何かのために立ち上がっていることを意味しているからだ」

シュン大佐と俺は、長年にわたり日本の敵、アメリカの敵、常識の敵、良識の敵を激怒させ、その敵から国や人間社会を守るために立ち上がってきたんだ。これらの敵は、慰安婦マフィア、共産主義者、シーシェパードタイプのリベラル、左派、および政治的正当性などを含む、伝統文化を破壊する人間社会の敵のことだ。これら前述のグループは、俺たちの国と俺たちの文化の両方を蝕むものなんだ。米国の独立宣言の最後の24語にこう書かれている。

「……神の摂理による保護を強く信じ、我々の生命、財産、および神聖な名誉をかけて相互に誓う。」

さて、この文章で、少々、主題から逸れてしまったが、俺とシュン大佐が、日本とアメリカ両国を文化的な腐敗から守る必要性を感じている限り、俺たちは同じ船に乗っており、今後もお互いに名誉ある冒険を追求し続けるつもりだ。

このシュン大佐の本には、それらの今までの数多くの現場での経験が書かれている。国際的な現場で、実際に敵に対峙している日本人は数少ないと思う。その数少ない行動するシュン大佐を読者の皆さんにも是非、応援していただきたい。彼の行動力や判断力、そして決断力は、政治家やリーダーとして絶対的に必要なものだからだ。

# おわりに

筆者は、「宗教」とは、それぞれの時代の科学で解明できなかったものであると考えている。しかし、科学の進歩と共にこの宗教という領域にメスが入ってきているのも事実である。聖書やコーランなどに書かれていることの解釈も、その科学の発展や時代背景と共に変化している。筆者はAtheist（無神論者）でも、無宗教主義者でもないが、一神教には様々な理由で無理があると考えている。それに比べて、森羅万象に神が宿る八百万《やおよろず》の神様をいただく神道は、その名前のとおり「人の道」であり、「〇〇教」といわれる宗教ではない。神道には開祖もおらず経典もない。過酷な自然や疫病などと闘ってきた先人たちの知恵が、この神道の中に宿っているのである。

国連においてポリティカル・コレクトネスが蔓延している西洋諸国が金科玉条のごとく多用し、日本の左派も得意になってマネをしている「多様性」という言葉がある。近年、日本国内のニュースなどでも、この「多様性」という言葉が多く使われている。

しかし、考えてみて欲しい。筆者は常々、この「多様性を認めない一神教主義的な宗教観」を固持するからこそ、それを否定する言葉が必要になるのだと考えている。ここが、時代背景と共に変化している部分である。そもそも、キリスト教こそが最も多く人間を殺してきた宗教である。

国連人権理事会で、韓国及び北朝鮮政府国連代表団に、慰安婦問題や徴用工問題に関して直接抗議する筆者。

この「多様性がないから多様性を認めろ」という主張は、泥棒が被害者に向かって「泥棒だ！」と言って、さも自分が泥棒ではないかのように見せかけて周りを欺いているようなものである。一方、神道に、元来その「多様性」が存在しているのは、「八百万の神」という言葉からも容易に理解できる。

筆者は、30年間に渡る諸外国人との付き合いを通して、日本人の精神文化は、近年劣化を続けているとはいえ、他国よりも500年から1000年進んでいると思えてならない。これは選民思想などではなく、日本人であるという脈々と受け継がれてきた血統が唯一無二のものを作り上げて来ていると考えるからである。

「思いやり」という言葉がある。自分の思いを他人に捧げる（やる）ことである。辞書には、「他人を親身になって気遣ったり、同情したりすること」とある。

西洋社会から見れば、この言葉はハイブリッド語であろう。この「思いやり」の意味を英語で表そうとすると1語では足りないのだ。最低4つの言葉の内容を含んでいる。Compassion（同情・哀れみ）・Sympathy（同情）・Thoughtful（察すること）・Considerate（熟考）である。

500年から1000年と書いたが、実際、500年後の米国で財布を落としたら戻ってくるようになっているだろうか？　スポーツの試合の後や自然災害の後で、常に起きる暴動や略奪行為はなくなるだろうか？　永遠にこの差は縮まらないと思う。それだけ日本は、「希《まれ》な国」なのだ。

私が、外国人に神道を説明する時は、次のように話す。

1．神道には八百万の神々が存在する。よって、あなたの神様も、この八百万の神々の1つであり、私たちは争う必要がない。

2．聖書のような経典がなく、教会のように、決まった日に礼拝に行くこともない。

3．毎週の礼拝がないので、定期的な献金（賽銭）も必要ない。自分が神社に行きたい時に行き、お賽銭も支払いたいだけ支払う。当然、給料の10%などという縛りもない。
4．日本の神様は、水や石、縫い物針や刃物、その他、様々な物質の内外に存在する。そして、亡くなった動物や生物にも存在する。その例として鯨を祀る「鯨塚」などの話もする。
5．八百万の神様の中には、人間のように良い神様も悪い神様も存在する。良い神様は、人類の平和、安寧を願い、悪い神様を怒らせると、天変地異が起きる。よって、神社では、先人たちへの感謝、自分が神社に参拝できるほど健康に生活をしていることへの感謝、そして、悪い神様へは、自分は悪いことをしないので、怒って自然災害や事故に巻き込まないでほしいと祈る。神様に何かをして貰いたいと願うのではなく、現状に対する感謝の意を表すのだと説明する。
イタリア半島の中東部にサンマリノ共和国というＦ１グランプリでも有名な独立国がある（※実際にレースが行われていたのはイタリア領内だがサンマリノ・グランプリと呼ばれていた）。わずか人口３万４千人の国だが、世界最古の共和制の国である。イタリア語での正式名称はSerenissima Repubblica di San Marino（セレニッスィマ・レプッブリカ・ディ・サン・マリーノ）で、英語ではMost Serene Republic of San Marino（モウスト・セリーン・リパブリック・オブ・サン・マリーノ）と表記し、その意味は、「最もうららかな共和国サンマリノ」なのだ。

何故、いきなりここでサンマリノ共和国を持ち出してきたかというと、実は、筆者が初めて国連に行き始めた2014年、このサンマリノ共和国に、欧州初の神社本庁が承認した「神社」が建てられたからなのだ。建立費用は、日本サンマリノ友好記念チャリティ金貨の販売やサンマリノ国民の寄付でまかなわれた。

この計画は、日本に最も長く駐箚《ちゅうさつ》している大使として知られ、日本独特の精神文化が神道から来ていることを知り、それに魅了された駐日サンマリノ特命全権大使であるマンリオ・カデロ氏が神社本庁と相談しながら進めてきた。大使は、『だから日本は世界から尊敬される』(2014年、小学館)、『世界で一番他人にやさしい国・日本』(2016年、祥伝社・外交評論家 加瀬英明氏と共著)、『世界が感動する日本の「当たり前」』(2018年、小学館)、『神道が世界を救う』(2018年勉誠出版・加瀬英明氏と共著)などの著者であり真の日本通でもある。我が国に対して常に客観的な評価をし、日本国民を励ますメッセージを出し続けている。2680年という万世一系を貫く日本の神道を理解することで、日本人を多面的に理解した外国人である。

筆者が代理人を務めているテキサス親父ことトニー・マラーノ氏も、来日時にはかならず靖國神社を参拝し、そこに眠る英霊に敬意を示している。このような日本人の精神文化も、時代と共に少しずつ変化している。何故ならば、外国から見た日本人はNOと言わず「受動的」と受け止められ、時として中国や韓国からはイージーターゲットと見られるからなのだ。言い換えれば

「いじめられっ子」となっているのだ。筆者はいじめを肯定するつもりは一切ないが、いじめられる子にもいじめられる理由が存在すると考えている。

現在、日本は「慰安婦問題」「徴用工問題」「南京問題」「竹島問題」「尖閣問題」その他、様々な難癖を付けられている。何故なら、従来の日本政府の対応が、国際社会に対して、日本でしか通用しない性善説を適用し続けてきたからなのだ。自分が間違っていないとわかっていても、その場を丸く収めるために謝罪をしたり、お金を支払ってきたことに対するツケなのだ。いつも同じ子どもがいじめられる（子どもとは限らないが）のは、抵抗することなく言いなりになるからであり、相手はどこまで言いなりになるのかを試して喜んでいるのだ。

昨年12月14日、私と同郷であり、以前はパキスタンで、後にアフガニスタンで医師をしていた中村哲氏が、テロリストによって殺害されたとのニュースが飛び込んできた。この医師のことは、私の国連の活動でも何度か名前があがってきており、「中村さんは私たちアフガニスタンの生活や常識を変えてくれ、多くの命を救ってきている恩人」と聞いたことがあった。そのこともあり、アフガニスタン人たちは、私が日本人であることを知ると、非常に親切にしてくれた。

中村氏は、アフガニスタンへ医師として行っていたのだが、医薬品不足に悩まされて十分な治療ができないことと、また、その病気のほとんどが、清潔に保つための水が不足していることに気が付いた。水さえ確保できれば、医療を施すよりも遙かに命を救うためには効率が良いし帰還難民問題も解決出来ると、白衣を脱いで、土木建築を学び灌漑用水を引いたのだ。

追悼式典でアフガニスタンのアシュラフ・ガニー大統領自らが棺を担ぐほどに尊敬されていた人物である。中村氏のこの水に対する思いは、水道をひねれば飲み水が出る日本から来た日本人であることも大きな要因であっただろう。

世界に約200の国が存在する。その中で水道の水が飲める国は、たったの15カ国しかない（今や信用が失墜したWHOの基準だが）。文献によっては11カ国や18カ国というのもあるが、国によっては特定地域だけ飲める場合や、煮沸したら飲めるという国もある。また、日本の国土交通省によれば、水道水がそのまま飲める国は、世界で9カ国となっている。我が国日本は、日本中、どこに行っても水道水が飲め、トイレを流す水までもが飲める水である。これが日本人の間では常識であっても世界では非常識なのだ。昔の人は、「日本は水と空気はタダだ」と言っていたが、それを維持するためには実に多くの費用と研究が費やされてきたのだ。

世界各国をまわってみて、日本がいかに恵まれた国であるか、良い面、悪い面を含め、日本の常識がいかに世界の非常識なのかを目の当たりにしてきた。そして、その恵みを享受している我々は、先人たちの知恵と努力の上に存在していることを痛切に感じている。

しかし、それを維持する努力を怠れば、たちまち、三流国家になる。一流国家になるためには、国民の多くの継続的な努力が必要だが、転げ落ちるのには時間はかからない。そのためにも、我々国民は、左翼のように国から何をして貰えるかではなく、国に対して自分が何を出来るかを常に頭に置くべきだと筆者は常々、自戒の念も含めて思っている。

２６８０年続いてきたこの奇跡の国を、我々の子供、孫、そしてその後の子孫にまで、「日本人である」という生まれながらにもったアドバンテージを知ったうえで、それを後世に伝える努力をすることが大切であると考える。

国連中心主義や欧州連合のようなグローバリズムの推進は、人間社会を滅ぼすと筆者は考えている。米国のトランプ大統領は、２０１６年の選挙のキャンペーンで「ウォール（Wall）」と繰り返し言っていた。メキシコからの不法移民の流入を防ぎ米国国民を守るためだ。しかし、左翼はこれを「差別主義」としてトランプ氏を叩く大合唱を行った。だが、米国人はバカではなかった。

１つ例を挙げてみようと思う。Aさん（年収1千万円）とAさんの奥さんは、Bさん（年収5百万円）とBさんの奥さんと、隣同士の家に住んでいた。この2つの夫婦は常に仲が良く、何でも話せる間柄であった。

そこで、AさんとBさんが話し合いをして、お互いの家の間にある垣根を取り除いて、１つの家を建てて、収入はお互いに持ち寄って1カ所で管理し、一緒に住もうということになった。2軒分の経費が1・5件分の経費ですむから経済的にもメリットがあると考えたのだ。これが、欧州連合や国連中心主義のグローバリズムなのだ。国連が世界政府となり、世界中が各条約体などを利用して同じ法律の下に住めば、争いもなくなり平和になるという「お花畑理論」である。

AさんとBさんは、一緒に住んでみて間もなく、今まで隣同士だった時には見えていなかったそれぞれの嫌な部分が見えてきた。Aさんの旦那さんが長風呂でお湯を無駄に使うことや、Bさんの旦那さんが夜遅くまで仕事をしていてうるさいなどの理由だ。そして、Aさんの奥さんが旦那さんに「あなたの方が多く稼いでいるのになんで250万円を相手に渡しているのと同じような生活をしなきゃならないの?」と不平を言い始めるのだ。家事や子どもの世話も必要になる女性なら、「うちの子どもの教育にもっとお金を掛けられるのに、もっと良い車に乗れるのに」などとなるわけだ。至極当然のことである。

筆者は、このグローバリズムには百害あって一利なしと考えている。イヌのマーキングを見れば一目瞭然である。自分のテリトリーを主張するために遺伝子に組み込まれている行動なのだ。これは、昆虫でも植物でも同様である。

お金の貸し借りも、物の貸し借りも、垣根越しに行うのが正しいということである。筆者が子供の頃には、となりの奥さんが母がいない時に勝手に筆者の家に入ってきて、醤油を持って行ったりということはあった。しかし、次には、この前、醤油を借りたから、お返しに味噌を持ってきたよ、などとコミュニケーションの材料になっていた。これくらいが人間社会の限界であろう。グローバリズムは人間社会を滅ぼす。

読者の皆様にも、日本人であるということに対する感謝や、グローバリズムの弊害に関して、本書を1つの見方として、今一度、考えていただきたいと願っている。

最後に私に書籍を出すことをかなり前から強く勧めて下さっていた国際歴史論戦研究所の杉原誠四郎会長、ジャーナリストの西村幸祐氏、そして、私の筆が遅いために何度も出版予定を遅らせて、予定表を組み替えてまで最後まで我慢強くお付き合いいただいた株式会社ワニ・プラスの佐藤寿彦氏に最大限の感謝の気持ちを送りたい。

日本と日本人の恒久的安定と繁栄、そして真の世界平和を祈念しつつ。

皇紀二六八〇年（令和二年五月）

藤木俊一

**藤木俊一**（ふじき・しゅんいち）

1964年生まれ。米国ケンタッキー州名誉大佐、企業経営者。音響・自動車部品関連製造企業を約30年間経営し、世界約30カ国との貿易を行う。情報化社会の中で、その国際感覚と日本のギャップを痛切に感じ、日本への国際的な情報の伝達、世界への情報発信のために、テキサス親父日本事務局の事務局長、国際歴史論戦研究所の上級研究員、慰安婦の真実国民運動の幹事などを務めている。米国テキサス州在住のトニー・マラーノ氏（通称：テキサス親父）とタッグを組み、氏の製作する動画に日本の視聴者向けに字幕を付け国内外でのファンを獲得。中国や韓国などからの歴史戦においての日本への理不尽な攻撃に対して、米国の国立公文書記録管理局等で当時の公文書などを発掘し、日本や米国でテキサス親父の講演会等を開催し史実を広める活動を行っている。また、2014年より年に複数回、国連の会合に出席し、日本の立場を伝える活動を続けている。各種講演会の講師、新聞や雑誌への寄稿、ネットでの動画配信、ラジオ、テレビ等への出演も行っている。

我、国連でかく戦へり

テキサス親父日本事務局長、反日プロパガンダへのカウンター戦記

2020年7月10日　初版発行

著者　藤木俊一

発行者　佐藤俊彦

発行所　株式会社ワニ・プラス

〒150-8482　東京都渋谷区恵比寿4-4-9 えびす大黒ビル7F

電話　03-5449-2171（編集）

発売元　株式会社ワニブックス

〒150-8482　東京都渋谷区恵比寿4-4-9 えびす大黒ビル

電話　03-5449-2711（代表）

装丁　新 昭彦（TwoFish）

DTP　株式会社ビュロー平林

印刷・製本所　中央精版印刷株式会社



ワニブックスHP　https://www.wani.co.jp